Le sel de la terre

Atelier 10

5101, rue Saint-Denis, CP 60135
Montréal (Québec) H2J 4E1
info@atelier10.ca
www.atelier10.ca
514 270-2010

Nous remercions notre partenaire

Samuel Archibald

Le sel de la terre

Confessions d'un enfant de la classe moyenne

Documents

Un projet d'Atelier 10

La collection *Documents* est dirigée par Nicolas Langelier et Jocelyn Maclure.

Atelier 10 utilise l'orthographe modernisée.

Édition Nicolas Langelier
Aide à l'édition Maxime Fecteau, Jocelyn Maclure, Judith Oliver et Caroline Paquette
Recherche additionnelle Simon Lévesque
Révision Liette Lemay
Design de la couverture Jean-François Proulx, Balistique.ca
Conception typographique et montage Jean-François Proulx
Illustrations Pierre-Nicolas Riou

Diffusion/distribution au Canada Messageries de Presse Benjamin

ISBN version imprimée: 978-2-924275-06-1
ISBN version numérique (ePub): 978-2-924275-08-5
ISBN version numérique (PDF): 978-2-924275-07-8

Dépôt légal — Bibliothèque et Archives nationales du Québec, 2013
Dépôt légal — Bibliothèque et Archives Canada, 2013

Catalogage avant publication de Bibliothèque et Archives nationales du Québec et Bibliothèque et Archives Canada

Archibald, Samuel, 1978-

Le sel de la terre: confessions d'un enfant de la classe moyenne

(Documents)
Comprend des références bibliographiques.

ISBN 978-2-924275-06-1

1. Classes moyennes - Québec (Province). I. Atelier 10 (Organisme).
II. Titre. III. Collection: Documents (Atelier 10 (Organisme)).

HT690.C3A72 2013 305.5'5 C2013-941251-4

Table des matières

Pour mon grand-père Gérard Lévesque,
dit « Le Chef ».

Confession I

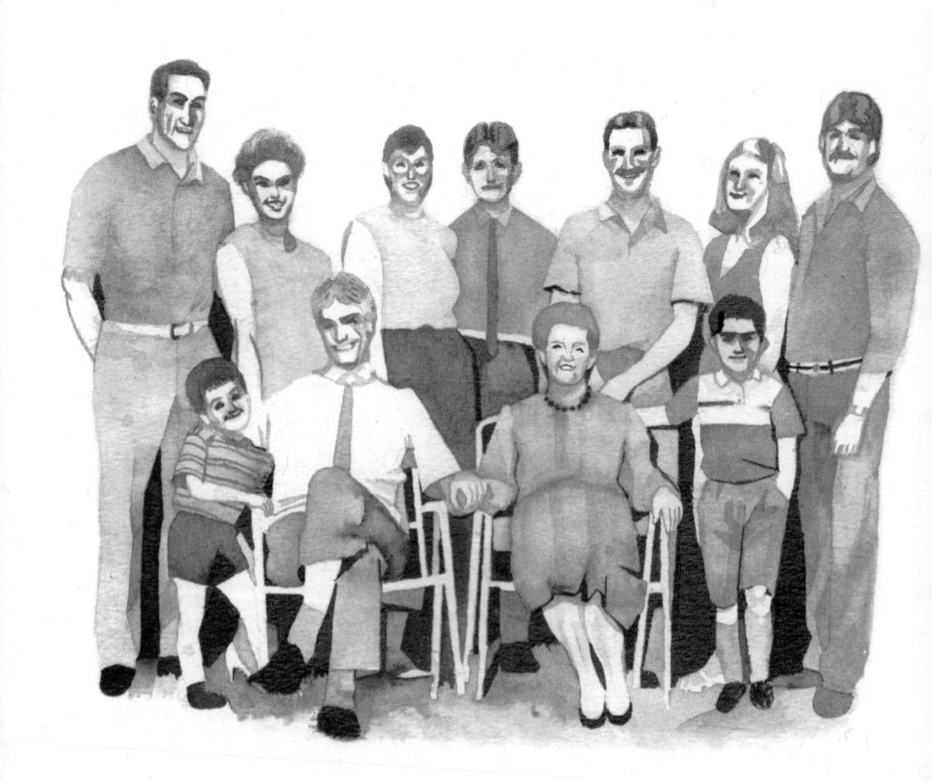

La vie est étrange, des fois.

J'ai écrit une bonne partie de ce livre sur la classe moyenne québécoise durant un voyage en Inde, en mars 2013. J'avais été invité là-bas par des universités pour parler d'histoire et de littérature québécoises. Je voyageais avec ma femme. À peine débarqués à Mumbai, nous avons dû repartir dans un petit avion pour Vadodara, dans le Gujarat.

Le Gujarat, patrie de Mahatma Gandhi, est un État de l'ouest de l'Inde, conservateur et sec: on ne peut pas y boire d'alcool, sauf dans les hôtels internationaux, avec un permis spécial. Les trois quarts des gens sont végétariens et parlent la langue locale, le gujarâtî. Vadodara est un bien drôle d'endroit où se retrouver, pour un petit gars d'Arvida, Saguenay. C'est une ville qui n'avait pas 200 000 habitants en 1960 et qui en compte maintenant presque deux millions et demi, avec un trafic fou furieux et peut-être cinq feux de circulation fonctionnels. C'est là qu'on a appris, Dulcinée et moi, que de traverser une rue, en Inde, équivaut à une expérience de mort imminente. Il faut prendre une grande respiration, faire un signe à la meute affolée de taxi-rickshaws, d'autobus et de motos qui foncent vers nous en klaxonnant et s'élancer dans le chemin en s'en remettant à notre bonne étoile ou au karma. Pour traverser une grande artère, la meilleure option est de s'agglutiner à un groupe de locaux ou de profiter du passage des vaches, qui patrouillent les rues par troupeaux entiers.

On était logés dans une maison de l'Université Baroda, joyau du Gujarat fondé par le Mahârâja Sayajî Râo. On vivait au milieu des pavillons gothiques en briques rouges des différentes facultés, splendides même en ruines. Le campus abrite une tribu de macaques à longue queue, des singes gris au visage tout noir, hauts comme un homme, qui s'agitent comme des fantômes dans les matins embrumés. Par mesure humanitaire, le campus est aussi habité par des familles de dalits, ou intouchables. On leur permet d'y dresser campement pendant un mois ou deux, à condition qu'ils aident à l'entretien du campus et ne mendient pas sur son périmètre.

Dans l'ancien système de castes, les dalits étaient considérés comme des sources d'impureté pour les castes plus élevées. Jusqu'aux années 1950, la simple vue d'un dalit était jugée indigne des brahmanes, la caste supérieure des prêtres, enseignants et hommes de loi. Un contact physique involontaire entre un brahmane et un dalit pouvait se solder par la mise à mort du hors-caste. Depuis l'Indépendance, la constitution indienne interdit de considérer quelqu'un comme un intouchable, mais les dalits restent partout des gens plus pauvres que les descendants des autres castes.

Durant notre séjour, on passait souvent devant leur camp en se rendant à la Faculté des arts. Ils dressent des tentes entre les bâtiments de l'université, dorment au milieu de couvertures et de hamacs de fortune, et les femmes font la cuisine avec des plats en fonte qu'elles chauffent avec du charbon qui s'achète à la poignée pour quelques roupies. Le soir, ça sent fort le feu de bois sur le campus et partout en ville. Les plus jeunes enfants vont entièrement nus, les hommes et les enfants plus âgés sont habillés de pantalons de jogging et de T-shirts. Mais, Dieu sait comment, les femmes sont toujours impeccables dans leurs saris aux couleurs chatoyantes.

Ma femme s'est liée avec une dalit, mère de trois enfants. Un soir qu'elles cuisinaient ensemble, je suis resté avec le père. Dans le crépuscule brulant, on avait ouvert les robinets extérieurs pour irriguer des platebandes, et les enfants et le père se rafraichissaient en s'arrosant. La plus jeune fille, qui avait l'âge de ma plus jeune à moi, courait partout en riant, et à un moment son père l'a saisie et s'est mis à la lancer haut dans les airs avant de la rattraper. La petite hurlait de rire, et son père la regardait exactement comme j'aurais regardé ma fille dans les mêmes circonstances.

La joie, l'espoir, la vie.

Pendant un instant, je me suis senti pareil à lui. Mais la seconde d'après, ça s'est cassé. J'ai commencé à prendre cet homme-là pour un fou. Qu'avait-il à être si heureux? Il était pauvre comme Job, et ses enfants aussi, dans un pays surpeuplé et miséreux. Sa fille appartenait à une classe sociale dont les femmes sont souvent méprisées, battues et violées. Le confort qu'ils trouvaient sur le campus n'était qu'un répit temporaire. Comment cet homme-là pouvait-il rire? Comment pouvait-il jouer avec sa fille et la regarder avec un air heureux, en s'imaginant, dans une espèce d'ivresse idiote, que tout irait bien pour eux?

Deux jours plus tard, après une conférence, j'ai compris ma réaction quand une étudiante m'a fait découvrir cette citation de la *Bhagavad-Gîtâ*, le chant du bienheureux: «Il n'y a jamais eu un temps passé où nous n'existions pas, il n'y aura jamais un futur où nous cesserons d'être.»

J'avais envié le père dalit, son appartenance à une race immortelle, sa résilience et sa confiance en l'avenir. Les mauvais jours viendraient sans doute bien plus vite pour lui que pour moi, mais lui et les siens avaient l'éternité pour réparer leur karma. Moi, je suis un enfant de la classe moyenne nord-américaine, une espèce beaucoup plus avantagée dans l'immédiat, mais à l'existence éphémère. Et à l'humeur morose.

Requiem pour la classe moyenne

«Vous êtes le sel de la terre. Mais si le sel perd sa saveur, avec quoi la lui rendra-t-on? Il ne sert plus qu'à être jeté dehors, et foulé aux pieds par les hommes.»

L'évangile selon Matthieu (5, 13)

«Raise your glass to the hard working people
Let's drink to the uncounted heads
Let's think of the wavering millions
Who need leaders but get gamblers instead
Spare a thought for the stay-at-home voter
His empty eyes gaze at strange beauty shows
And a parade of the grey suited grafters
A choice of cancer or polio
And when I look in the faceless crowd
A swirling mass of greys and
Black and white
They don't look real to me
In fact, they look so strange»

Mick Jagger et Keith Richards, «*Salt of the Earth*»

CE LIVRE EMPRUNTE SON TITRE à la fois à une parabole de Jésus et à une chanson des Rolling Stones. Je suppose que ce mélange d'influences me ressemble.

La parabole fait partie du «Sermon sur la montagne». Elle célèbre les vertus chrétiennes et les gens humbles qui les mettent en pratique.

> Bienheureux les pauvres en esprit, car le royaume des cieux est à eux!
> Bienheureux les affligés, car ils seront consolés!
> Bienheureux les débonnaires, car ils hériteront la terre!
> Bienheureux ceux qui ont faim et soif de la justice, car ils seront rassasiés!

En 1968, c'est cette métaphore évangélique que Mick Jagger et Keith Richards reprenaient pour décrire les classes laborieuses.

Parce que les classes sociales occidentales ont déjà été beaucoup plus stratifiées, bien sûr. On parlait de prolétariat, de paysannerie, de bourgeoisie. On appartenait à l'aristocratie ou à la classe ouvrière, et quand on faisait la grève, on était le peuple.

Mais c'est arrivé au Québec comme c'est arrivé ailleurs: la prospérité des années 1950-60, couplée aux luttes syndicales et sociales du temps, a permis l'accession de millions de gens à un meilleur niveau de vie. On a assisté ainsi à l'émergence d'une nouvelle réalité sociale où une partie importante, voire majoritaire, de la population se caractérise par le fait de n'être ni riche, ni pauvre: la classe moyenne.

Plus personne ne parle de peuple, de nos jours, à part les altermondialistes, Gabriel Nadeau-Dubois et les philosophes[1]. Aujourd'hui, il y a d'un côté des pauvres que certains dépeignent comme des privilégiés—les assistés sociaux, et de petits salariés dont on essaye d'ignorer la pauvreté. Et, à l'autre extrémité, il y a des riches de plus en plus riches dont les représentants les plus visibles, les stars, ne manquent jamais de rappeler qu'ils sont partis de rien. Entre les deux, il y a la grande classe moyenne. À droite comme à gauche, en politique comme dans les éditoriaux, la classe moyenne est devenue le cœur battant de la société. C'est en fonction d'elle qu'on gouverne, dit-on. C'est à elle qu'on fait des promesses, qu'on demande de se serrer la ceinture en attendant le retour des beaux jours. C'est à elle que les Stones faisaient allusion dans leur chanson, quand ils parlaient de «têtes incomptées» et de multitudes inquiètes, d'électeurs victimes d'escrocs en costume trois pièces.

Comme pour les humbles et la classe ouvrière avant elle, la classe moyenne se fait faire les yeux doux par des gens qui n'ont pas ses véritables intérêts à cœur. Des gens qui lorgnent surtout son portefeuille, ou son vote. Et comme Mick, j'ai envie de boire à sa santé. Je suis né en son sein, après tout, même si je ne me reconnais plus toujours en elle.

Car, il faut bien le dire, c'est devenu un lieu commun que d'annoncer le déclin irréversible, voire la mort de la classe moyenne. Depuis que William J. Quirk et Randall Bridwell ont publié *Abandoned: The Betrayal of the American Middle Class Since World War II* en 1992, des douzaines et des douzaines d'essais se sont succédé pour prendre le pouls du patient, avant de s'éloigner, horrifiés.

L'augmentation de ses revenus ne suivant pas la hausse du cout de la vie, la classe moyenne occidentale a de plus en plus de mal à maintenir son style de vie, à se payer des services de santé, une maison et une éducation, et donc à maintenir ses effectifs. L'expression anglaise *middle-class squeeze* le dit bien: la classe moyenne se sent prise dans un étau.

Et si, au Québec, la classe moyenne bénéficie d'un système fiscal de redistribution de la richesse qui permet de ralentir ou d'éviter ce déclin, les rumeurs de sa mort sont quand même en train de la rattraper, comme ailleurs. Un récent dossier du magazine *Jobboom* portait ainsi sur la chute de la classe moyenne québécoise. On y lisait que le «rêve, celui sur lequel s'est bâtie la classe moyenne, a du plomb dans l'aile [...]. De 1981 à 2010, le taux d'endettement à la consommation des ménages québécois (qui exclut l'hypothèque) est passé de 15,6% à 39,2%». L'endettement, au Québec, augmente plus rapidement que les salaires. «Autrement dit, concluait la journaliste Dominique Forget, si la classe moyenne arrive à entretenir le rêve, c'est souvent à crédit.»

Devant cette mort annoncée, je me suis dit que ça vaudrait peut-être la peine de réfléchir à ce qu'est la classe moyenne, à ses valeurs, à son rapport à l'argent, à ce qu'ont été ses espoirs et à ce qui fonde aujourd'hui ses angoisses. Je dois avoir un faible pour les espèces éteintes ou en voie de l'être: quand j'étais petit, j'étais obsédé par les dinosaures.

Portrait de famille

Je suis un enfant de la classe moyenne.

Mes deux grands-pères étaient salariés de l'Alcan, et ils ont travaillé longtemps dans la même usine, à Arvida. Mes grands-mères restaient à la maison, mais la modernité leur promettait plus de liberté et de loisirs en leur inventant des *blenders* et des machines pour laver la vaisselle et sécher le linge.

Mon grand-père Lévesque a commencé comme manœuvre à la fin des années 1940. Au terme de sa carrière, il était devenu directeur aux relations de travail. Il passait six mois par année en Guinée-Conakry pour négocier les contrats des cadres de la CBG, la compagnie qui extrayait la bauxite du sol africain. La CBG avait un beau logo, et on aimait beaucoup, mon frère et moi, les T-shirts que mon grand-père nous rapportait de là-bas.

Il vit encore, aujourd'hui. Il habite à l'année au lac Saint-Jean, dans le chalet qu'il a construit de ses mains et qu'il entretient toujours lui-même. Il fait des cordes de bois, zigonne sur ses bâtisses et ouvre des sentiers pour aller cueillir des champignons. C'est le genre de bonhomme pas tuable qui ne se repose qu'en travaillant. Il a 85 ans.

Au fil de sa carrière, mon grand-père Archibald est devenu contremaitre en peinture et chargé d'achats. Il a donné naissance à une progéniture plutôt nombreuse, du moins pour la taille de la maison de mes grands-parents. Le médecin et le curé ne s'entendaient pas sur la capacité de ma grand-mère à subir ces grossesses à répétition. Mais on écoutait encore davantage les curés que les médecins, à l'époque, et ma grand-mère a perdu plusieurs bébés et a failli mourir plusieurs fois en accouchant. Le curé ne pouvait rien faire contre la maladie, cependant, et mon grand-père a agonisé lentement de la sclérose latérale amyotrophique, la maladie de Lou Gehrig, en pleurant beaucoup et en égrenant son chapelet. Il est mort à 62 ans, avant sa retraite, après avoir travaillé toute sa vie, soirs inclus, pour envoyer ses enfants à l'université. À la fin, il se consolait en regardant gambader ses petits-enfants dans la maison et en se disant que tous ses enfants étaient prospères.

Je me suis toujours beaucoup identifié à mes grands-pères. À ce genre d'hommes-là, droits et travaillants, décidés. Des *self-made men* au sens strict, qui ont eu à se réinventer quand la vie—jusque-là très limitée—s'est ouverte toute grande devant eux.

C'est drôle, parce qu'à part le fait de travailler dans la même usine, mes deux grands-pères n'avaient pas grand-chose en commun. Mon grand-père Archibald était teindu rouge, libéral pur et dur, fédéraliste; mon grand-père Lévesque est un indépendantiste des premiers temps, sympathisant du RIN, puis membre du PQ. Mon grand-père Archibald aimait Trudeau et Bourassa d'amour; mon grand-père Lévesque n'en avait que pour son lointain cousin René, pour Parizeau et pour Landry. Mon grand-père Archibald prenait pour les Canadiens; mon grand-père Lévesque, pour les Nordiques. Mon grand-père Archibald buvait de la Molson; mon grand-père Lévesque buvait de la O'Keefe.

Les deux hommes partageaient cependant deux valeurs.

La première était l'éducation. Ils ont travaillé comme des forcenés pour s'éduquer et permettre à leurs enfants de faire des études. Mon grand-père Archibald a peint la moitié des maisons d'Arvida en *overtime* pour envoyer ses enfants à l'université. Mon grand-père Lévesque s'est formé lui-même, le soir, afin d'accéder à des postes de direction. Il fait bon s'en rappeler: quand la classe moyenne québécoise ne s'entendait sur rien, elle s'entendait là-dessus—de l'éducation dépendait son avenir. Qu'elle ait été aussi profondément divisée durant la grève étudiante de 2012, et que l'on ait pu guerroyer contre les étudiants québécois au nom d'un prétendu gros bon sens, ça m'a mis sur le cul. Je ne reviendrai pas dix fois là-dessus, mais c'est pendant le conflit étudiant que j'ai vu à quel point la classe moyenne était affaiblie dans son sentiment de sécurité et dans la confiance en sa propre légitimité. L'accessibilité aux études, comme beaucoup de politiques sociales et collectives qui ont aidé à garnir ses rangs, est maintenant perçue comme un luxe.

L'autre chose que mes grands-pères avaient en commun, c'est la religion. Chacun est allé à la messe toute sa vie, même après que les églises se sont presque complètement vidées. Ils y recevaient l'assurance qu'ils menaient une bonne vie, que les efforts qu'ils faisaient en valaient la peine, peu importe à quel point l'existence était parfois ingrate et dure.

Plus personne ne dit ça à la classe moyenne, aujourd'hui.

Mes grands-pères vivaient avec l'impression d'être le sel de la terre. Plusieurs de leurs petits-enfants vivent avec l'impression que les beaux jours sont comptés.

Mes grands-parents étaient filles et fils de bucherons, de draveurs et de fermiers. En travaillant aussi fort que leurs ancêtres, mais en face de possibilités plus grandes, ils ont sorti leur famille de la pauvreté—pour toujours, aurait-on pu croire, ou à tout le moins pour longtemps. Tous leurs enfants ne sont pas devenus riches, mais tous se sont maintenus dans ce grand filet de sécurité sociale qu'est la classe moyenne. Y compris mes parents, qui ont eu des revers de fortune à la fin des années 1980, qui ont divorcé et ne sont jamais redevenus aussi riches qu'ils l'étaient quand je suis né. Je suis né gosse de riche dans une famille d'extraction ouvrière. Juste à temps pour mon adolescence, ma famille en est redevenue une de classe moyenne, mais de classe moyenne très inférieure. Et monoparentale.

Comme bien des gens ayant vécu ce genre de revers de fortune, mes parents sont tous les deux beaucoup revenus—dans leur imaginaire et leurs valeurs—à leurs origines prolétaires et un peu cathos. Ç'a déteint sur moi, je crois. Je suis un grand sentimental en ce qui concerne les valeurs de la classe moyenne héritées de la classe ouvrière dans les années 1950-60. J'admire le cœur à l'ouvrage, la résilience et l'humilité. Je suis un vrai pigeon pour les histoires de gens affligés qui survivent parce qu'ils sont *tough*. J'ai aimé tous les *Rocky*, même *Rocky IV et Rocky V*.

J'ai toujours admiré—envié, en fait—les gens autour de moi qui ont choisi, sans angoisse particulière, des carrières plus modestes que celles de leurs parents. Des fils de gens d'affaires devenus simples salariés, des filles de psychologues devenues travailleuses sociales, des fils de médecins devenus profs de cégep. Moi, je n'ai jamais eu ce genre de sérénité-là. J'ai toujours eu l'impression que si j'arrêtais de ramer deux secondes, j'allais me noyer. J'enviais aussi les gens qui faisaient des «pauses» dans leurs études, qui partaient six mois en Thaïlande avec un sac à dos, en pleine année scolaire. Les gens qui mettaient leur vie en suspens, changeaient de carrière à tout bout de champ. Je n'ai jamais compris comment ils faisaient. Moi, j'avais peur que la vie ne m'attende pas si je prenais plus de deux semaines *off*. J'ignorais le désœuvrement comme le repos.

J'imagine que si je pensais seulement à l'argent, je me serais choisi une autre job que prof de littérature, mais je n'ai jamais eu confiance en l'avenir, pas une journée dans ma vie. Je n'ai jamais été sans projet ou sans plan de rechange. Et j'ai trop souvent éprouvé un besoin maladif de tout couler dans le béton. C'est un stigmate que je garde de ces années-là. Comme d'autres avant moi.

Les enfants qui ont été gros ne se trouveront jamais trop maigres.

Les enfants qui ont été seuls n'auront jamais trop d'amis.

Les enfants qui ont été pauvres ne seront jamais trop riches.

Je vois la classe moyenne comme un milieu de vie, un lieu de circulation économique aux sorties sécurisées, mais je ne me suis jamais senti à l'abri dans ses filets. L'angoisse qui la secoue aujourd'hui, je l'ai vue venir de loin.

---

1 Dans «Vingt-quatre notes sur les usages du mot *peuple*» (in *Qu'est-ce qu'un peuple?*, La Fabrique éditions, 2013), Alain Badiou propose de remettre le terme en contexte. «La vérité est que *peuple* est aujourd'hui un terme neutre, comme tant d'autres vocables du lexique politique. Tout est affaire de contexte.» Pour la classe politique, le mot *peuple* réfère désormais à un contexte législatif: «Dans les démocraties parlementaires notamment, il est devenu une catégorie du droit d'État. Par le simulacre politique du vote, le "peuple", composé d'une collection d'atomes humains, confère la fiction d'une légitimité aux élus.» Plus avant, Badiou remarque que dans nos sociétés occidentales contemporaines, «le peuple reçoit le nom très étrange de *classe moyenne*. Comme si ce qui est moyen pouvait être admirable.» Pour Badiou, «la classe moyenne est le "peuple" des oligarchies capitalistes».

Confession II

QUAND J'AI EU MA PERMANENCE À L'UQAM, je suis allé prendre un verre avec des collègues. À un moment, un ami m'a dit: «Sais-tu ce que ça veut dire? Ça veut dire que tes filles manqueront jamais de rien.» Ça ne m'a rien fait sur le moment, mais plus tard j'y ai repensé et je me suis mis à pleurer comme un veau, dans l'autobus 467 bondé. L'élément déclencheur, ç'a été la *playlist* que j'écoutais à ce moment précis, un *mix* de motivation que je me fais jouer avant chaque moment important. Dedans, il y a du vieux gangsta rap, du rock d'aréna, «La chevauchée des Walkyries» et la musique de *Rocky*.

Je suis pas mal sûr que c'est à «*Gonna Fly Now*» que j'ai braillé.

Quand j'ai raconté ça à ma femme, qui s'est fait une spécialité de dégonfler mes ballounes imaginaires, elle a dit: «Tu me fais rire avec ça. Rocky Balboa, pauvre toi. Tu es un intello, mon chéri. Tu travailles peut-être comme un bœuf, mais ça fait pas de toi un *tough*, ni un prolo. Tu n'es pas parti de rien. Tu es parti de ce que tes parents ont perdu. Et le pire, je pense, c'est qu'au fond de toi, tu es sûr que tout ce que tu obtiens t'est dû. Tu veux te prendre pour un personnage de fiction? Lâche Rocky, pis prends Rastignac.»

Et c'est comme ça que je suis passé d'un étalon italien à cet ambitieux qui, dans la *Comédie humaine* de Balzac, est prêt à beaucoup de bassesses pour gravir les échelons de la bonne société. Dulcinée est parfois dure avec moi, mais je pense qu'elle a un peu raison. La frontière est mince entre l'arriviste et le survivant, surtout quand l'arriviste en question a un gros fond judéo-chrétien. Ça explique sans doute les relents de culpabilité que j'essaye d'exorciser ici. Tout s'est mis à bien aller dans ma vie au moment où l'horizon s'assombrissait pour la classe moyenne dont je suis issu. J'ai vécu mon rêve américain—le mariage, les enfants, la maison, le chien, la carrière—à un moment où plein de choses s'en allaient chez le diable pour beaucoup de gens que je connais.

Des fois, j'ai de la misère à vivre avec ça.

La classe moyenne : singulière ou plurielle ?

« Il me faut vivre pour les autres et non pour moi-même. Voilà bien une moralité de classe moyenne. »

George Bernard Shaw

Ce n'est pas évident de s'entendre sur ce qu'on veut dire par *classe moyenne*.

Pour le sociologue Simon Langlois, qui reprend une pratique courante dans la recherche contemporaine, il faut «considérer comme faisant partie des classes moyennes les ménages dont les ressources monétaires se situent dans l'intervalle compris entre 75% et 150% de la médiane». Calculé comme ça, avec les chiffres de 2010, un individu vivant seul et gagnant entre 31 275$ et 62 550$ fait partie de la classe moyenne, tout comme un ménage comptant sur des revenus composés oscillant entre 42 300$ et 84 600$. Le spectre s'élargit encore davantage si on décline ces proportions en fonction des différents types de ménages, du plus pauvre au plus riche. En incluant le revenu du marché médian des personnes seules, d'un côté, et le revenu médian supérieur des familles avec enfant, de l'autre, on en arrive à faire tenir dans la classe moyenne des ménages qui comptent sur des revenus allant de 19 900$ à 112 050$ par année. Dans le discours scientifique comme dans le discours médiatique, la classe moyenne est une catégorie extrêmement inclusive, un seul masque placé sur mille visages.

Chaque fois qu'on parle de la classe moyenne, on met dans le même panier du monde qui gagnent à peine plus que le seuil de faible revenu et du monde qui font pas mal de *cash*. On fait aussi l'économie de plusieurs distinctions qui ont une grande influence sur nos façons de vivre: corps de métier, type et niveau d'éducation, milieu d'origine, etc. On met donc ensemble les intérêts de millions de gens qui n'ont souvent rien à voir les uns avec les autres. C'est bien parce qu'elle réunit artificiellement des effectifs très nombreux que la classe moyenne est courtisée de tous bords tous côtés, par les partis politiques de droite comme de gauche, et qu'elle se fait souvent promettre une chose et son contraire. On peut l'enjôler à coups de baisses d'impôts autant que d'augmentations des services à la population.

La classe moyenne joue donc pour les salariés d'ici le rôle de grand fourretout identitaire, comme elle le fait depuis un certain temps en France :

> Plus intéressante est l'expansion de ceux qui se sentent membres de la "classe moyenne", dont le pourcentage croît alors que décline celui de la population se disant appartenir à la classe ouvrière. La population ressentant une appartenance à la bourgeoisie devient, quant à elle, de plus en plus ultraminoritaire, les milieux aisés se réappropriant l'image d'une classe moyenne à peine supérieure[1].

Au Québec, vieux fond catholique et Révolution tranquille obligent, la classe moyenne est la seule qui fait l'objet d'une identification affichée. Elle est le compromis idéal entre une pauvreté à laquelle on voudrait avoir échappé pour toujours et une richesse qui reste, dans notre imaginaire, l'apanage de l'autre :

> Il y a toujours eu une classe moyenne, mais elle était réduite et fragmentée. On en parlait au pluriel; on parlait des classes moyennes. Depuis un certain nombre d'années, on en est venus à parler de *la* classe moyenne. Elle est devenue la classe dominante des sociétés occidentales de la fin de ce siècle. Au Québec, la classe moyenne a pris une place hégémonique d'autant plus facilement que nous n'avons pas d'aristocratie, pas de sang bleu[2].

Si je regarde autour de moi, je constate que je ne connais pratiquement que des gens issus de la classe moyenne, ou qui se décriraient comme tels. J'ai bien quelques amis qui viennent de l'argent et d'autres qui viennent de la pauvreté, mais ils ont en commun d'être discrets. J'ai parfois fréquenté des gens de longues années avant de me rendre compte, au détour d'une visite de famille ou d'une confidence, qu'ils venaient d'un milieu démuni ou très aisé.

La classe moyenne fonctionne comme une sorte de compromis identitaire, une appartenance par défaut. Ceux et celles qui ne se reconnaissent dans rien peuvent toujours se reconnaitre en elle.

Les Hobbits et les Québécois

Dans l'ouvrage fondateur *White Collar: The American Middle Classes* (1951), le sociologue Charles Wright Mills parlait des classes moyennes au pluriel. L'ensemble formé par les gens occupant le grand centre économique et démographique de la société est trop bigarré pour qu'il soit logique d'en parler au singulier.

Mais ça me semble important de le souligner: dans les discours politique et médiatique actuels, on utilise désormais un singulier qui est indéfendable pour les scientifiques. Ça n'existe pas, LA classe moyenne—et pourtant, on en parle constamment. Et moi à la suite des autres, on dirait bien.

Imposer le singulier aux classes moyennes, c'est exagérer leur caractère de refuge social où chacun peut projeter ses aspirations et déplorer ses misères. «Le sel de la terre». Le triomphe symbolique de la classe moyenne dans le discours actuel est un retour au sens premier de l'expression, celui d'une position intermédiaire, d'une culture du milieu. C'est l'acception anglaise du terme. En Angleterre, la classe moyenne, répartie entre *lower, middle* et *upper middle class,* s'est façonnée durant l'ère victorienne, puis édouardienne, sur une solidarité de fait entre des individus issus de différents corps de métier qui voulaient se distinguer, en amont, des classes laborieuses et ne pouvaient accéder, en aval, au *peerage* ou à la *gentry.*

On le voit bien dans la fiction.

Sherlock Holmes est le grand défenseur de la classe moyenne, de son style de vie (qu'il adopte) comme de ses intérêts (qu'il défend contre une canaille invariablement venue de la rue ou de l'aristocratie). Dans le même ordre d'idées, dans la série télé *Downton Abbey*, Matthew Crawley est un avocat de Manchester avant d'être appelé à devenir l'héritier présomptif du domaine Downton. Mais même ainsi ramené à la lointaine noblesse de sa lignée, il continue à défendre les vertus de la classe moyenne contre celles de l'aristocratie terrienne : il valorise souvent son ardeur au travail contre l'apathie des nobles, de même que ses qualités maritales et managériales. Dans la troisième saison, alors qu'il est en train de reprendre la gestion du domaine, il déclare à sa femme : « *The middle classes have their virtues. And husbandry is one.* » C'est une réplique assez forte, qui joue sur la double signification du mot *husbandry* : « bonne gestion des économies et des ressources » au sens moderne, mais aussi « attention portée aux affaires matrimoniales et domestiques » au sens ancien.

L'exemple le plus achevé d'une idéalisation de la classe moyenne se trouve à mon avis chez Tolkien, dans *Bilbo le Hobbit* et le *Seigneur des anneaux*. Casaniers, bons vivants et pacifiques, ses Hobbits sont l'incarnation même des espoirs modestes et des vertus mesurées de la *middle class*. Les Hobbits sont courageux, mais ils ne désirent rien d'autre qu'une bonne pipe fumée au coin du feu. Tolkien était un homme marqué par la Première Guerre mondiale et horrifié par la Seconde. Pour lui comme pour beaucoup des gens de son époque, ces guerres étaient imputables à une folie des grandeurs, celle de l'aristocratie comme de l'étrange race de monde qui lui avait succédé. Ne recherchant ni l'argent, ni le pouvoir, les Hobbits constituaient pour Tolkien la promesse d'un monde plus calme.

En Angleterre, les classes moyennes étaient donc délimitées par des critères stricts, liés à l'origine géographique, au travail et à l'éducation. Au Québec, on l'a vu, la classe moyenne s'est formée hors d'une dynamique spécifique de classes. Elle a emprunté ses valeurs aux groupes qui lui ont prêté ses effectifs. Elle est une classe ouvrière qui a réussi. Et qui entretient jalousement l'humilité de ses ancêtres cultivateurs. On aime beaucoup se rappeler, par exemple, que Céline Dion est la benjamine d'une famille de 14 enfants et qu'elle aime le pouding au tapioca. On aime savoir que Véro pis son chum s'ostinent comme nous autres. Et on vote avec d'autant plus d'enthousiasme pour notre candidat préféré à *Star Académie* quand il parle avec un gros accent de Saint-Glinglin-des-Holsteins. Au Québec, tout le monde se dit *tu*, et même le monde exceptionnel est ordinaire.

Mon vieux fond marxiste (plutôt que judéo-chrétien, celui-là) me porte à soupçonner que cette indistinction systématique est un écran de fumée. Qu'on communie à l'église ou devant son petit écran, les places ne sont pas distribuées sans préjudice. Gens aisés et gens pauvres ne se rencontrent pas vraiment. Des discriminations de classes existent de façon manifeste au Québec, derrière cette façade de grande classe moyenne, mais les nier fait pratiquement partie, aujourd'hui, de notre identité nationale.

Ni riche ni pauvre

La classe moyenne est définie par ceux qui s'identifient à elle, la courtisent, la commentent. Elle se caractérise ainsi surtout en fonction d'un double rapport : au pouvoir (qu'elle ne désire pas réellement, mais par lequel elle se sent souvent flouée) et à l'argent (dont elle dispose de façon mesurée : « Ni riche ni pauvre », telle est sa devise). Que tout le monde et son beau-frère se réclament de la classe moyenne témoigne du caractère excessivement souple de la notion, mais aussi de sa force identitaire.

Or, en tant que catégorie empirique, la classe moyenne n'existe pas. Elle n'existe qu'en tant que catégorie imaginaire, culturelle et—de plus en plus—politique.

Au cœur de cette affiliation floue et spontanée se dessine la possibilité d'une solidarité sociale renouvelée. C'est bien cette promesse qui fait qu'on la tire de tous bords tous côtés. Ce n'est pas pour rien, par exemple, que Barack Obama voit la classe moyenne dans sa soupe depuis le début de son second mandat. L'avenir dira si cette solidarité nouvelle prendra durablement, ce qu'elle permettra d'accomplir contre l'axe républicain et ce que fera Obama lui-même de cette cohésion friable—surtout que ses adversaires politiques courtisent, eux aussi, la classe moyenne.

Tant mieux si, au final, des gens d'horizons différents se sentent appartenir à un même grand ensemble. Mais encore faut-il comprendre les paradoxes qui l'habitent. Lors des débats des chefs de l'élection provinciale de 2012, je me rappelle avoir entendu Françoise David—un peu embêtée par la sempiternelle question sur la classe moyenne—répondre en affirmant avoir à cœur les gens qui la composent parce qu'«ils font partie du 99%».

Je me suis tourné vers Dulcinée et j'ai dit: «Ça, ça marchera pas. Tu peux plaindre la classe moyenne, mais tu peux pas dire à ce monde-là qu'ils sont pauvres.»

Je pense en effet que c'est très mal comprendre la classe moyenne—non pas dans sa situation concrète, mais dans son imaginaire. La classe moyenne n'est pas pauvre. Elle refuse, en tout cas, de se voir comme telle. D'une extrémité à l'autre de son échelle de revenus, c'est une question de fierté ou de décence. Une personne qui se situe dans la classe moyenne inférieure travaille fort pour son argent et a quand même du mal à joindre les deux bouts. Ne sachant pas de quoi demain sera fait, elle essaye de mettre de l'argent de côté et de ramasser ses timbres de chômage pour quand l'ouvrage va venir à manquer. Elle travaille avec acharnement pour ne pas être pauvre et n'a aucune envie de se faire dire que c'est ce qu'elle est en réalité. Toute vérité n'est pas bonne à dire.

À l'opposé du spectre, pour un ménage hybride comme le mien, composé d'un haut salarié et d'une travailleuse autonome, se déclarer partie prenante du 99% semble carrément indécent. Avec nos revenus importants, nos avantages sociaux, notre sécurité d'emploi et notre flexibilité d'horaire, les affres de la classe moyenne inférieure nous sont de plus en plus étrangères. Concilier travail et famille n'est pas un casse-tête chinois pour nous, et mon banquier m'appelle «monsieur» même si j'ai passé ma vingtaine dans les souliers d'un cassé intégral. Ce n'est pas juste, mais c'est comme ça: une mauvaise cote de crédit, ça colle moins à la peau quand on fait de l'argent. Bien entendu, à côté de Warren Buffett ou de Pierre Karl Péladeau, je gagne des pinottes, mais pour 99% des habitants de cette planète et une effarante majorité de citoyens de mon propre pays, soyons francs, c'est des crisses de grosses pinottes.

Au centre du spectre aussi, la classe moyenne est frileuse sur la question de son appauvrissement. Elle craint la pauvreté et peut-être, par extension, les pauvres. Le développement des banlieues et des villes-dortoirs a fait en sorte que les gens de la classe moyenne côtoient très peu ce qui reste des autres classes sociales. Les très aisés ont leurs beaux quartiers, et les pauvres habitent des endroits bien délimités dans ces espaces urbains: à la périphérie, dans le *no-man's-land* entre les zonages, dans les anciens quartiers populaires ou les projets de logements sociaux (qu'on appelait avec délicatesse, quand j'étais jeune, des «blocs à BS»). Depuis les années 1950, on a aménagé l'habitat de la classe moyenne comme si la pauvreté était contagieuse.

Puisqu'on craint la pauvreté comme la peste, on préfère souvent tout simplement nier son existence, ou imaginer les gens qui en sont victimes comme des Bougon qui collectent 18 chèques de BS pour boire de la bière à notre santé. Mais parce qu'on ne se considère pas riches nous-mêmes, voyons donc, on préfère aussi réserver ce qualificatif au 1 %, ceux qui ont un manoir, six chars, deux bateaux et un jet privé. Nous autres, on s'arrange, c'est tout.

En l'état actuel du discours social, la classe moyenne inclut tous les gens qui ne sont pas pauvres comme Job ni riches comme Crésus. Ce n'est pas exactement un club sélect.

1 Louis Chauvel, «Le retour des classes sociales?», *in Revue de l'OFCE*, 2001.
2 Guy Rocher, «La culture politique au Québec», Bibliothèque Paul-Émile-Boulet de l'Université du Québec à Chicoutimi, 1997.

Confession III

«Il a pas de talent.»

C'est une expression qu'utilisent les vieux, au Lac-Saint-Jean, pour parler de ceux qui ne sont pas bons avec l'argent. Les chômeurs chroniques, les dépensiers, les éternels cassés, les mange-touts, les bourreaux d'argent. J'ai passé ma vingtaine à me faire accroire que j'étais comme ça parce que je n'avais effectivement pas une maudite cenne, puis la trentaine est arrivée et la job avec, et j'ai continué à avoir une sainte misère à payer les factures à temps ou à ne pas oublier des comptes au fond du classeur. Je perds de l'argent à coups de 100 piastres parce que j'oublie de remplir mes demandes de remboursement. Je trouve tout à coup que j'ai du *cash* en trop, je le dépense en livres ou en scotch, puis je me rappelle deux heures après pourquoi je l'avais mis de côté. J'arrive au temps de l'impôt, je regarde mes T4 pis je me demande où tous ces beaux dollars sont allés. J'ai honte d'en parler devant mon grand-père, devant ma mère, devant tous mes amis qui sont bons avec l'argent, sérieux, économes, prévoyants. Je fais de mon mieux pour m'améliorer et je me répète que je vais devenir un vrai homme, un jour, dans mes finances.

L'autre jour, je suis tombé sur une lettre écrite par Ernest Hemingway à la fin de sa vie, quelques mois après avoir gagné le prix Nobel, en 1954. La lettre était destinée à Ezra Pound, un ami poète enfermé dans une prison-hôpital en raison de ses sympathies pour le régime de Mussolini pendant la guerre (une drôle d'inclination que la plupart de ses amis excusaient à cause de sa santé mentale fragile). Hemingway joignait un chèque de 2 000$ à la lettre et écrivait: «Voilà de quoi aider ta défense. C'est tout ce qu'il reste des 100 000 $ du prix Nobel, que je m'étais pourtant promis de dépenser intelligemment. »

En lisant ça, j'ai compris que j'étais damné. Pas de talent je suis né, pas de talent je resterai.

Les valeurs de la classe moyenne [1]

Je ménage, donc je suis

« C'est avec des 30 sous qu'on fait des piastres. »
Adage populaire

QUICONQUE EST NÉ dans la classe moyenne au Québec possède en général quelques névroses liées au fait de dépenser.

Moi, par exemple : chaque année, au sortir de l'hiver, je me mets au régime après avoir essayé mon linge de l'été d'avant. Durant ce pénible processus, ma femme—la diététiste en chef de la maisonnée—doit constamment me taper sur les doigts pour contrer une manie que j'ai et qui est bien peu conciliable avec la perte de poids : j'ai une sainte horreur de jeter de la nourriture. Je me force pour finir mon assiette en visite comme au restaurant, quitte à me remplir les bajoues comme un écureuil avant l'hiver. J'essaye toujours de réchauffer les restes douteux du souper de l'avant-veille avant de les mettre à la poubelle. Je sacre comme un charretier quand, en faisant le ménage du frigidaire, je découvre des spaghettis à moitié décomposés que j'aurais bien mangés pour diner, si le tupperware n'était pas allé se cacher entre le pot de mayonnaise géant et la salsa mexicaine, elle-même d'une fraicheur douteuse. Ce n'est pas ma faute, j'ai été élevé à coups de « Pense aux pauvres qui mangent pas à leur faim » (une fois, à ma mère qui me disait que les petits Noirs en Afrique n'en avaient pas, eux autres, des pois Le Sieur, j'ai répondu : « Sont chanceux en crisse. » J'ai été à peu près huit semaines dans ma chambre en pénitence). Et j'ai encore l'impression qu'un Éthiopien va mourir si je ne finis pas mes patates pilées.

Je suis pas mal sûr de ne pas être le seul frappé de cette étrange affliction. On est nombreux à avoir un rapport un peu spécial à l'argent, et on est surtout très inventifs quand vient le temps d'en sauver.

Le père de l'une de mes amies voyage dans le Sud moins pour le soleil et le sable que pour magasiner. Il peut passer deux semaines à Punta Cana ou à Acapulco sans bronzer d'un ton, à remplir petit à petit la grosse valise noire qu'il apporte là complètement vide. Il achète un million d'affaires : bijoux, alcool, cigares, vêtements, babioles, etc. Au retour, il a toujours des cadeaux pour tout le monde. Pendant que je jette mon rhum parce qu'il était scellé à l'artisanale et goutait la térébenthine, que ses chums laissent se dessécher leurs cigares au fond de la boite parce qu'au fond, c'est dégueulasse fumer le cigare, et pendant que sa fille et ses gars essayent de trouver une utilité aux morceaux de linge toujours un peu trop petits ou un peu trop grands qu'il a rapportés, le bonhomme additionne dans sa tête le montant qu'il a épargné en changeant ses piastres en pésos et en magasinant sans arrêt pendant dix jours.

Le père d'un autre ami, quant à lui, me donnait récemment un bon truc pour ces moments où l'on a besoin de consulter un ouvrage de référence : aller dans la section des livres, au Costco, où certains exemplaires ne sont pas emballés. « Vas-y l'après-midi, personne va t'achaler. C'est pas mal moins cher que d'acheter l'estie de *Guide de l'auto* si tu magasines un char, ou le livre de mijoteuse à Ricardo si tu veux juste la recette de lasagne. »

À aucun moment, le monsieur ne s'est dit qu'en tant qu'*acteur de la chaine du livre*, je ne trouverais pas cette façon de bouquiner très cachère. Il a même ajouté : « J'ai vu ton livre, l'autre jour. Ç'a l'air bon. » Mon bonhomme avait transformé sans s'en rendre compte un Costco en bibliothèque municipale.

Le père de mon chum Fabrice, lui, a emmené son fils faire des rénovations au chalet familial à Sutton. Ils sont montés là dans la Volvo 740 du monsieur et se sont arrêtés en chemin dans un IGA pour acheter de quoi diner et souper. Quand Fabrice est venu pour mettre une laitue dans le panier, son père lui a dit : « De la Boston, t'es-tu fou ? C'est de la salade de fin de semaine, ça. Prends une iceberg. »

Mon père à moi est un champion de l'épicerie. Tous les dimanches, il épluche religieusement son Publisac et fait ses commissions en fonction des rabais les plus épatants dénichés dedans : six cannes de soupe aux tomates Aylmer pour trois piastres au Maxi à Chicoutimi, les Kleenex Royal à 79 cennes au Proxim à Kénogami, deux piastres et 99 pour le fromage Cracker Barrel au Corneau Cantin à Jonquière. Il traque toutes ces belles denrées comme un détective, au volant de son Dodge Ram 1500, un mastodonte qui consomme quand même pas mal de gaz. Je ne me suis jamais risqué à sortir ma calculatrice devant lui, mais j'ai souvent pensé que, si on soustrayait des économies réalisées le montant de l'essence brulée, il ne resterait pas grand-chose, même après avoir sauvé 20 sous sur 50 paquets de Scott Towels (ce qui fait quand même juste dix piastres).

Et pendant ce temps-là, les rabais se succèdent et les denrées s'accumulent.

En mourant, mon père va nous léguer, à mon frère et à moi, chacun 89 boites de sauce Esta. Le pire, c'est qu'on n'aime pas ça tant que ça, les *hot chicken*.

Test : Êtes-vous ménageux ?

Avec une feuille et un crayon, il suffit d'additionner les points associés à chaque réponse positive.

1. Vous avez déjà coupé vos produits ménagers avec de l'eau. *100 points*
2. Vous avez déjà acheté des lunettes en Chine par internet. *100 points*
3. Vous avez déjà acheté des piles de cellulaire en Chine. *100 points*
4. Vous avez déjà scrappé un cellulaire avec vos piles achetées en Chine. *250 points*
5. Il vous arrive de rouler plus de 50 km pour mettre de l'essence dans votre auto. *100 points*

6. Vous avez appris à vos enfants à mentir sur leur âge quand ils arrivent au camping, au zoo ou aux glissades d'eau. *500 points*
7. Vous êtes convaincu qu'il y a à la SAQ plusieurs bouteilles de vin à moins de 10$ qui se comparent avantageusement aux grands crus. *250 points*
8. Vous êtes convaincu qu'un complot de la SAQ et du gouvernement empêche que la qualité desdites bouteilles soit révélée au public. *500 points*
9. Vous connaissez plus de dix façons différentes d'apprêter du steak haché. *250 points*
10. Vous avez déjà acheté de la nourriture au Dollarama (excluant les chips Yum Yum, mais incluant les crottes de fromage). *100 points*
11. Vous avez déjà acheté des éléments d'une batterie de cuisine au Dollarama. *1 000 points*
12. Il vous arrive de prendre les Air Miles non réclamés par un ami à la caisse d'un magasin. *100 points*
13. Vous possédez des DVD piratés avec de fausses pochettes pour qu'ils aient l'air moins volés. *250 points*
14. Vous ne donnez rien à personne avant de l'avoir mis une semaine sur Kijiji. *250 points*
15. Vous consolidez systématiquement les petits pains de savon presque finis pour en faire un métapain. *100 points*
16. Vous scrappez régulièrement des journées entières de congé pour accomplir des œuvres de plomberie, de menuiserie ou d'entretien qu'un ouvrier qualifié terminerait en deux heures. *500 points*
17. Vous attendez la saison des ouragans pour acheter un séjour dans un *resort*. *500 points*
18. Plus de 30 rouleaux de papier de toilette s'entassent quelque part chez vous en ce moment. *Comptez 100 points par dizaine*

supplémentaire et accordez-vous 1 000 points s'il y a plus de 100 rouleaux.

19. Vous ne quittez jamais une chambre d'hôtel sans avoir mis dans vos bagages tout ce qui s'emporte. *250 points—bonus de 500 points si vous avez déjà volé une robe de chambre.*
20. Vous connaissez au moins cinq bons trucs que je n'ai pas pensé à mettre dans cette liste. *500 points*

Si vous avez plus de 2 500 points, vous êtes résolument une personne ménageuse. À plus de 4 000, vous êtes de niveau Séraphin Poudrier. À moins de 500, vous n'êtes probablement pas né au Québec dans la classe moyenne. Personnellement, je *score* autour de 2 000.

Le bar à tuer

Je ne veux pas me moquer de ces stratégies qui aident plusieurs familles à joindre les deux bouts. Mais je tiens à souligner que je connais beaucoup de gens pas du tout dans le besoin qui les observent comme de petits rituels et qui inventent toutes sortes de plans bizarroïdes pour sauver cinq piastres et quart qu'ils dépenseront aussitôt ailleurs. Je connais beaucoup de gens qui achètent systématiquement pas cher mais en quantité industrielle, au mépris de ce principe d'épargne élémentaire: si tu achètes quelque chose dont tu n'as pas besoin, même à rabais, tu n'économises pas, tu dépenses.

Cette tendance est pour moi un important trait culturel de la classe moyenne qui unit des gens de tous ses «paliers». Ménager, c'est un mode de vie. On n'a pas toujours été riches, au Québec, et ça laisse des traces. On est prompts à voir plusieurs dépenses comme des luxes indus, aussi. Je me rappelle un désaccord que j'ai eu avec ma mère, quand on était copropriétaires d'un duplex, à propos d'une pièce à aménager dans la moitié que j'habitais.

C'était le débarras au sous-sol où s'entassaient les gallons de peinture, de solvants et toutes sortes de cochonneries, et où se trouvaient aussi le réservoir d'eau chaude et un robinet juste à l'eau froide. Une belle place pour cacher un petit 13 onces de Canadian Club et des vieux *Playboy* du temps de Farah Fawcett. Mon grand-père appelle ça poétiquement un « bar à tuer ».

En revenant d'une visite chez un ami œnophile, j'avais décidé de transformer le bar à tuer en cave à vin, aménagement auquel ma mère s'opposait farouchement, menaçant même d'utiliser son droit de véto. Fourmi mère d'une cigale et fille d'ouvrier, elle trouvait que c'était une dépense de bourgeois. Elle avait raison, on s'entend, mais elle m'a plutôt recommandé d'en faire un atelier de travail, avec un établi, un banc de scie et de l'espace de rangement en masse pour mettre ma *drill*, ma scie ronde, ma *skill saw*, ma *jigsaw*, ma *jig* à gyproc, mes *ratchets*, mon *wrench* pis mon *pipe wrench*, autant d'outils que je ne possède pas, dont je ne maitrise pas l'usage ou dont la vue me plonge dans une terreur sacrée.

« Mais maman, j'ai dit. J'ai pas la moitié de ces engins-là.

— Tu devrais te les acheter, justement. Ça serait plus utile que des vieilles bouteilles de vin. »

Effectivement, une clé à molette, c'est plus utile qu'un Bandol. En même temps, pour un gars qui ne sait rien faire de ses dix doigts sinon taper à l'ordinateur, mais qui aime ça, le vin, il est probablement plus rationnel d'acheter des bouteilles qu'une scie à onglet.

Le bar à tuer est resté un bar à tuer, finalement. Le fond de l'histoire, c'est que le super établi aurait probablement couté aussi cher à faire que ma cave à vin, qu'il aurait été encore plus inutile vu mes faibles aptitudes de castor bricoleur, mais ma mère l'aurait considéré comme une dépense honorable et non luxueuse.

On était économes, dans la classe moyenne; on est devenus ménageux. C'est-à-dire qu'on fait souvent toutes sortes de simagrées avec l'argent qui ne nous font pas véritablement économiser, mais qui nous donnent l'impression d'avoir dépensé intelligemment. J'ai beaucoup de respect, à bien des égards, pour toutes ces ruses et tactiques qu'on invente pour contrer l'érosion de notre pouvoir d'achat, mais je me demande de plus en plus souvent si ça ne joue pas contre nous.

Quand on nous dit que ça n'a pas de bon sens de mettre de l'argent à tel ou tel endroit tant que le système de santé est dans la désolation totale, quand on nous dit qu'il va falloir faire des sacrifices jusqu'au déficit zéro, quand on nous parle d'austérité et de serrage de ceinture, quand on entend tout ça et qu'on se dit, sans trop se poser de questions, «Oui, ç'a bin de l'allure», est-ce qu'on y pense rationnellement? Je veux dire: est-ce qu'on se pose vraiment la question, ou est-ce qu'on fait juste écouter notre côté ménageux?

Confession IV

QUELQUE PART au milieu de son histoire, la classe moyenne s'est retrouvée avec tout le nécessaire et encore pas mal d'argent dans ses poches. Je pense qu'elle ne s'y attendait pas. Se croyant à l'abri du besoin pour toujours, elle a décidé de se gâter un peu. À partir de là, sa capacité à acheter tout ce dont chaque membre de la famille avait besoin s'est transformée peu à peu en une sorte de frénésie.

Déjà, à l'époque, ces joies de la sécurité financière étaient perçues avec perplexité par les plus anciens. Je me rappelle les sourcils froncés des grands-parents devant l'orgie de cadeaux entassés sous le sapin de Noël, les montagnes de papiers d'emballage déchirés après la razzia et les bébelles mal aimées déjà à la traine 15 minutes après. Pour faire bonne mesure, un parent disait: «Si vous jouez pas avec, on vous en achètera pus.» Les enfants ne le croyaient pas, bien sûr. De temps en temps, une grand-mère demandait: «Vous avez pas peur de les pourrir à les gâter de même?», et on sentait bien au ton de sa voix que, pour elle, poser la question, c'était déjà y répondre.

À la fin des années 1970, mon grand-père Lévesque—grand ménageux devant l'Éternel—s'est mis à traiter ses filles, son fils, sa bru et ses gendres de «consommateurs». Il le dit encore aujourd'hui, et il n'existe pas dans sa bouche plus grande insulte. Une fois, quand j'étais petit, je lui ai demandé c'était quoi, un consommateur. Il a jonglé avec une réponse pendant une minute, parlé de payer trop cher et d'acheter des affaires dont on n'a pas besoin, avant de dire finalement: «C'est quelqu'un qui aime mieux acheter des affaires que les utiliser.»

La classe moyenne a une double personnalité, il me semble. Elle travaille fort, quoi qu'on en dise. Mais je pense qu'elle s'ennuie. Elle passe son temps au centre d'achats. Elle achète des affaires sans arrêt et se console en se comparant avec d'autres qui sont plus dépensiers qu'elle. Elle rit beaucoup de son beau-frère qui passe son temps dans les rénos. Il vient de se patenter tout un cinéma maison dans le sous-sol qui lui a couté je sais pas combien de 1 000 piastres, avec l'écran plasma de 748 pouces pis les La-Z Boy pis les gros *subwoofers*. Qu'est-ce qu'il a fait quand il a eu terminé ? Il a regardé un bon film ? Non, il s'est mis à construire une pergola dans la cour. Il veut mettre un spa dans un *gazebo* aussi. La classe moyenne dit : le temps que ça soit fini, ça va être l'automne.

Elle rit, elle rit, mais bien souvent, elle fait pareil. L'autre jour, elle a eu envie de se remettre à cuisiner. Elle est allée s'acheter une batterie italienne à 600 piastres aux Promenades Saint-Bruno. Elle a passé l'après-midi à essayer de la faire rentrer dans ses armoires, elle s'est mise à rêver de refaire la cuisine au complet, elle a regardé des cuisines jusqu'au soir sur son iPad, pis elle a fini par ranger la nouvelle batterie au sous-sol et se faire livrer du St-Hubert.

Les valeurs de la classe moyenne [2]

Je consomme, donc je suis

« If we can't be free, at least we can be cheap. »
Frank Zappa

Outre son Publisac, mon père a une autre lubie : le centre d'achats Place du Royaume, à Chicoutimi. Surtout l'été. Il ne m'appelle jamais pour me dire seulement le temps qu'il fait — il m'appelle pour me dire le temps qu'il fait au-dessus de Place du Royaume. C'est comme un rayon de soleil dans ma boite vocale : « Salut Sam, c'est ton père. Mardi après-midi. Chus en redescendant du Canac-Marquis. Trente-trois degrés à l'ombre. Fait beau soleil, y a pas un nuage pis le parking du centre d'achats est plein. Hostie de gang de mongols. »

On est pareils, là-dessus. Cette affluence beau temps, mauvais temps à Place du Royaume — comme aux Galeries Laval, au Dix30 et dans tous les centres d'achats de la Terre — me consterne. Je ne peux pas comprendre qu'on ait envie d'aller dans un centre d'achats, même quand il pleut. À côté de nos stratégies pour gratter la cenne — qui servent souvent à se faire accroire qu'on est économes même si on ne l'est pas —, les dépenses de la classe moyenne ont explosé au cours des 30 dernières années. La classe moyenne n'a jamais été aussi endettée, mais elle n'a jamais eu autant de chars (590 pour 1 000 habitants aujourd'hui, contre 397 pour 1 000 en 1979), jamais autant voyagé, jamais autant envoyé ses enfants à l'école privée (20 % la fréquentent aujourd'hui contre 15,4 % en 1998), jamais autant mangé au restaurant, jamais changé aussi souvent de divans, jamais autant étalé ses paiements.

Quand je reviens sur les lieux de mon enfance, je suis toujours surpris. Il n'y a pas cinq fois plus de monde, mais il y a cinq fois plus de magasins — surtout aux périphéries hideuses des villes, là où le terrain ne vaut pas cher. Et les parkings sont pleins.

Les sociologues et les économistes définissent la classe moyenne par un niveau de vie; elle se définit elle-même, de l'intérieur, d'abord par sa capacité de dépenser et par sa manière de dépenser: à crédit. Les pauvres ne peuvent pas s'endetter, les riches n'ont pas besoin de le faire, la classe moyenne roule sur ses marges.

C'est une chose que je ne peux pas comprendre, mais je sais très bien où ça a commencé.

Je suis un enfant des années 1980.

Mon frère et moi, on mâchait de la Bazooka, une cigarette Popeye au coin des lèvres, entre deux poignées de Nerds. On préférait le Pepsi au Coke parce que c'est ce que buvait Michael Jackson, premier artiste de l'histoire de la pop à s'être fait une gloire d'être un *sell-out*. On détestait les hamburgers de cantine à *truckers* et le poulet de grain: on aimait le McDo et le Kentucky. On déjeunait aux Lucky Charms, aux Froot Loops et aux Pop Tarts. On se levait tôt la fin de semaine pour regarder des comiques qui servaient à vendre des bébelles: Musclor et Skeletor, les Transformers, les G. I. Joe pis les gros lutteurs en caoutchouc de la WWF. On haïssait l'Atari et on rêvait de le changer pour un Coleco. Si on avait eu le choix, on se serait déplacés exclusivement en BMX et en Pogoball Blaster. Vers 1984 ou 85, on a eu une fixation sur les jouets Star Wars. Le petit gros au bout de la rue avait reçu à sa fête le Marcheur impérial de l'*Empire contre-attaque*, et on était très jaloux. Pour nous calmer, un cousin plus vieux nous a donné une grosse boite de figurines. La plupart n'avaient plus leurs armes, mais ma mère leur fabriquait des sabres laser en sauçant des cure-dents dans le colorant alimentaire. À Noël, j'ai eu le petit vaisseau de Boba Fett. J'ai reçu aussi Mégatron, que j'ai cassé deux heures plus tard en essayant de le remettre en *gun*. Mon frère a eu Zartan. On l'a oublié au soleil toute une journée au printemps, et il s'est figé avec la bedaine bleue pour toujours.

On feuilletait le gros catalogue de Distribution aux consommateurs comme un grimoire rempli d'objets magiques et merveilleux. On passait un mois avant nos fêtes et trois mois avant Noël à achaler nos parents pour avoir des jouets. Aussitôt la fête passée, on revenait à toute vitesse à notre jouet préféré : le catalogue lui-même. Au milieu des bébelles, on rêvait d'autres bébelles.

Nos parents avaient leurs bébelles, eux aussi[1] : ils avaient deux autos, plus une décapotable pour les fins de semaine d'été mais, enfants d'ouvriers, ils ne voulaient rien savoir de dépenser 200 $ pour nous acheter le Faucon Millénium. On trouvait ça injuste.

Comme bien des révolutions culturelles (parce que c'en était bien une), celle-là a commencé par l'endoctrinement des enfants. On nous a appris à désirer tout ce qu'il y avait dans le catalogue, puis, peu à peu, on a oublié qu'on pouvait désirer autre chose que ce qu'il y avait dans le catalogue. La consommation était devenue un acte culturel dans les années 1950; dans les années 1980, elle est devenue la langue maternelle de toute une génération. La génération Pepsi, comme chantait Michael en prostituant Billie Jean. L'adolescence est venue, et on s'est rebellés contre nos parents comme n'importe qui. On a troqué Michael Jackson contre Kurt Cobain, mais on a continué à se tenir au centre d'achats.

Mes parents ont été pognés avec ça, comme je suis pogné avec ça aujourd'hui. Les Distribution au consommateur ont fermé, mais il y a des Walmart et des Costco et l'internet si ça ne te tente pas de sortir. Tu peux acheter quelque chose à tout moment. On célèbre le *Boxing Day* et le *Black Friday*. Chaque année, des gens sont piétinés et blessés pendant des soldes. Y a plein de jours où je me dis que ça n'a pas de bon sens, mais, comme toujours, ça passe par les enfants. Parce que le fait de travailler et d'aller au centre d'achats ne suffit pas tout le temps à nous donner une raison de vivre, on travaille pour nos enfants, pis on consomme en leur nom. Comme tout le monde, j'ai les cartes de crédit pleines et souvent des envies de souffler un peu, mais je ne veux pas envoyer mes filles à l'école habillées comme la chienne à Jacques. Et toutes les petites filles ont des iPhone...

On n'en sort pas.

Au milieu des années 1980, les mâchoires d'un immense piège à cons se sont refermées sur la classe moyenne nord-américaine. Ce n'est peut-être pas pour rien qu'on essaye souvent, aujourd'hui, de la séduire en lui parlant de liberté. La classe moyenne étouffe. Elle a deux autos qui sont louées et vit dans un condo ou un manoir de banlieue qui appartient à la banque. Peu importe si les mains qui l'étranglent sont très souvent les siennes, la liberté, pour elle, c'est un mot qui sonne bien. Ça évoque cette légèreté bénie, entre le moment où tu *loades* ta carte de crédit et celui où tu reçois l'état de compte.

De quoi on parle quand on parle de liberté

La plus grande leçon de liberté que j'aie reçue m'est venue de mon grand-père Lévesque, à l'été 2011. On était descendus le voir à son chalet. J'étais avec mon frère, en *roadtrip* de papas avec nos filles, qui avaient autour de deux ans à l'époque. Le Chef[2] était tout seul, son amie visitait de la parenté dans le Bas-du-Fleuve. Il a donc été pogné pour nous recevoir et, très vite, le débarquement des petites Archibald, ç'a eu l'air d'être un peu beaucoup pour lui (il faut dire que les filles sèment la désolation partout sur leur passage, surtout quand elles sont ensemble).

Je l'aurais cru plus excité à l'idée de rencontrer ses arrière-petites-filles. Quand son amie a téléphoné dans la soirée pour prendre des nouvelles, il a dit qu'il assistait à une vraie expérience scientifique. Il a ajouté: «Je suis avec des pères qui se prennent pour des mères.»

Ça m'a fâché et j'ai passé le restant de la soirée à bouder. Mon grand-père vient du temps de Dean Martin et de Betty Draper, où les femmes déprimaient dans leur château en carton pendant que les enfants étaient à l'école, puis s'occupaient d'eux le soir venu pendant que le mari jouait au golf ou à la balle-molle ou allait prendre une bière à la brasserie. À chacun son époque, évidemment, mais ça m'a blessé que le Chef ne comprenne pas du tout c'était quoi, notre *trip*. Avec mon frère, on est allés coucher les filles après le souper, dans la roulotte que mon oncle a installée plus loin sur le terrain. J'ai donné un biberon à ma fille et je l'ai mise dans son parc. Après, je suis sorti pour pisser en écoutant les vagues. En marchant sur la plage de roches, entre le chalet et la roulotte, j'ai trouvé, cachés derrière une grosse pierre, un étui à savon, un rasoir et une bouteille de shampoing.

J'ai souri.

Le Chef a été obligé de moderniser le chalet au début des années 1990, après que ma grand-mère a fait un AVC. Il y a une douche et deux salles de bain, maintenant, et tout le confort moderne. Quand j'étais enfant et que j'allais passer quelques semaines là-bas durant les vacances, il n'y avait rien de tout ça. Seulement une toilette et un lavabo. Ma grand-mère se lavait tout l'été à la tapette. Mon grand-père et moi, on allait se laver dans le lac, au coucher du soleil. On descendait sur les roches, dans une petite enclave à l'abri du vent. Mon grand-père apportait une seule serviette avec une grosse barre de Irish Spring. Il me passait le savon sur la peau presque à sec. Quand j'étais bien lavé des pieds à la tête, il me lançait dans le lac pour me rincer. L'eau était glaciale. Il se savonnait en vitesse avant de venir me chercher. Il nous sortait de là, nous installait sur la roche glissante et me séchait avec la serviette. Lui se séchait au grand vent, au mépris de la chair de poule.

De ma vie, je n'ai jamais eu plus frette.

C'est l'image que je vais toujours garder de lui : les silhouettes d'un vieil homme et d'un enfant découpées en noir sur la surface rouge, mauve, orange et rose du lac à la brunante. Ce qui était pour moi un souvenir d'enfance était pour mon grand-père un rite privé, qu'il observait encore chaque soir. Ça m'a calmé. Mon grand-père était peut-être un homme d'une autre époque, mais il y avait quelque chose de réconfortant de le savoir en vie, encore en forme, et de pouvoir se dire qu'il y a des hommes qui ne s'habitueront juste jamais à l'eau chaude.

En y repensant, je me rends compte que cette histoire-là me parle surtout de liberté. Mon grand-père s'est mis pour toujours à l'abri du besoin et il a construit de ses mains le château de ses vieux jours. Mais il se garde un nécessaire de toilette pour se laver dans le lac comme un apache.

Si tu veux rester libre, apprends à vivre de rien.

Moi aussi, grâce au Chef, j'ai mes petits rituels à la brunante et je sais reconnaitre une prison quand j'en vois une. Une hypothèque trop grosse est une prison. Les dettes sont une prison. La surconsommation est une prison. Ma tendance à vouloir faire du *cash* parce que j'ai des enfants est ma propre prison. Pas besoin d'être un économiste ou un philosophe pour savoir ça. La classe moyenne a toujours été familière avec le dicton selon lequel l'argent ne fait pas le bonheur. Mais il lui en manque un pour énoncer ce paradoxe fondamental : l'argent libère et enferme en même temps.

---

1 Je me rappelle une fois où le deuxième ou troisième voisin avait acheté un Jeep. Mon père et les autres hommes de la rue tournaient autour du char, dans la boucane des cigarettes, en s'arrêtant pour éructer des félicitations au voisin et lui donner une tape sur l'épaule. « Crisse de beau char, Roland. Crisse de beau char. » On parlait de combien avait couté le véhicule, d'où il l'avait pris et d'autres détails qu'on comprenait plus ou moins, mon frère et moi. Quand on serait grands, on conduirait une Porsche 959 ou une Lamborghini Countach avec des pneus

Pirelli. Les seuls détails techniques qui nous intéressaient, c'était la couleur et le 0-100 km/h. Je n'étais pas bien vieux, mais j'avais déjà de drôles d'idées dans la tête. Je me rappelle avoir pensé: on dirait des chasseurs autour d'un gros animal mort. Une baleine hâlée sur la banquise, ou un genre de buffle géant. Les hommes sentaient la bière et avaient tous un peu de sueur au front. Ils portaient des polos Lacoste pastel pour avoir l'air de Sonny Crockett dans *Miami Vice*, mais ils auraient aussi bien pu avoir des peaux de bêtes sur le dos. Ils étaient commerçants, ingénieurs et ouvriers qualifiés, mais ils auraient aussi bien pu être des hommes des cavernes. Ils ne pouvaient plus prouver leur valeur en tuant un mammouth, mais ils pouvaient acheter un Grand Cherokee.

2 C'est le surnom que mon père donnait à mon grand-père quand il était son gendre, pour se moquer de son côté autoritaire tout en le faisant enrager, vu que mon grand-père hait Duplessis pour s'en confesser.

Confession V

MON PÈRE PIS MOI, avant de monter dans le bois l'été, on s'arrête souvent au magasin à une piastre pour acheter des chips Yum Yum au vinaigre et différentes gogosses dont on pourrait avoir besoin en haut, comme des gants de travail et des pinceaux. Mon père dit qu'à une piastre le pinceau, ça vaut plus la peine de les laver. On peinture avec pis on les sacre dans le feu après. Bonjour la planète.

L'été dernier, on faisait comme ça nos petites commissions, et mon père me montrait les gens qui remplissaient des paniers entiers d'affaires à une piastre. En montant dans le camion, j'ai dit à mon père: «Des fois, je me dis qu'ils vont finir par vendre de la marde au Dollarama pour que le monde puisse continuer d'acheter quelque chose.»

Mon père a souri. Il m'a montré sur le tableau de bord les lunettes de soleil qu'il avait achetées trois jours avant. L'un des manchons était déjà pété.

«Inquiète-toi pas: de la marde, ils en vendent déjà pas mal.»

Les magasins à une piastre et les grandes surfaces sont d'étranges temples où se rend la classe moyenne pour conjurer l'érosion de son pouvoir d'achat. La classe moyenne consomme plus encore que dans les années 1980, mais elle est devenue, avec le temps, plus angoissée. Au début du 21e siècle, la classe moyenne a comme caractéristique paradoxale de se sentir à la fois privilégiée et exploitée. Elle se sent privilégiée d'exister encore, parce qu'à peu près toutes les jobs qu'elle fait pourraient être envoyées en Inde ou en Chine n'importe quand. Elle se sent exploitée parce que c'est elle qui paie à la place de tout le monde, à la place des pauvres gras dur sur le BS qui boivent de la bière pis mangent du Kentucky, à la place des riches qui cachent leur argent dans des paradis fiscaux. Le sel de la terre ? Une bonne poire, tu veux dire.

À l'hiver 2013, la chaine de radio KYK/Radio X à Saguenay a lancé la campagne *Écœuré de payer* en distribuant des autocollants à ses auditeurs, lesquels décorent, depuis, les parechocs et parebrises de certaines autos par chez moi.

Sur le site web de la campagne, on peut lire le texte explicatif qui suit :

> Augmentation des tarifs d'Hydro-Québec, de la SAQ, des permis de conduire, des immatriculations, de la TVQ, des taxes municipales, des taxes scolaires en plus du cout de la vie qui augmente à un rythme sans précédent... Pendant ce temps, votre argent durement gagné est dilapidé dans des formations ésotériques, dans la mauvaise gestion, dans des extras injustifiés... Alors que plusieurs groupuscules revendiquent, manifestent et réclament, qui pense au contribuable? Le citoyen ordinaire... Celui qui encaisse et paye les hausses sans aucun moyen de défense ou d'expression? Le mouvement *Écœuré de payer* s'adresse à vous! Vous qui travaillez, avez des familles, une vie et surtout pas le temps de manifester. Démontrez votre «ras-le-bol» de la situation actuelle, portez fièrement l'autocollant *Écœuré de payer*, joignez le groupe et, vous aussi, criez haut et fort: Je suis ÉCŒURÉ DE PAYER!

Pour moi, c'est une manifestation exemplaire du ras-le-bol, parfois confus, typique d'une certaine classe moyenne.

Les valeurs de la classe moyenne [3]

Je paie, donc je suis écœuré

CHER X,

Autant, durant la grève étudiante, mon fil Facebook donnait l'impression qu'on était à deux doigts d'une révolution socialiste, autant, durant l'interminable hiver 2013, j'ai eu l'impression que la marmite allait sauter dans notre région. Je voyais *popper* partout des photos de couverture sur le compte de mes vieux chums qui, comme toi, se disent *écœurés de payer.*

Ça n'a pas pris trois jours pour que des comiques lancent la campagne concurrente *Écœurés de penser*, mais—même si je trouvais la joke assez bonne—je ne l'ai pas partagée sur Facebook. Parce qu'il y a du monde que j'aime et que je respecte à qui la campagne de KYK/Radio X a parlé, j'ai préféré t'écrire cette lettre, au lieu de juste faire le smatte en riant de vous autres. On se l'est déjà dit, tous les deux, que ça irait mieux au Québec si le monde arrêtait de se traiter de mongols à la radio et sur les réseaux sociaux.

Tu le sais, je suis toujours pas mal d'accord quand on parle du *cash* gaspillé «dans des formations ésotériques, dans la mauvaise gestion, dans des extras injustifiés». Si Richard Desjardins a le droit de chanter «Les bonriens», j'imagine que j'ai le droit de dire que tout ça m'écœure autant que vous. J'imagine aussi que je comprends l'idée d'une méthode alternative pour exprimer son mécontentement, même si, déjà, je vois s'installer le petit ton passif-agressif qui me gosse toujours un peu dans ces affaires-là, où l'on tord les mots d'un bord pis de l'autre pour leur faire dire un peu n'importe quoi: «Alors que plusieurs groupuscules revendiquent, manifestent et réclament, qui pense au contribuable? [...] Celui qui encaisse et paye les hausses sans aucun moyen de défense ou d'expression?»

À côté des majorités silencieuses, on entendrait crier à tue-tête des «groupuscules».

Groupuscule: *gʁu.pys.kyl/* n. masculin: *Très petit groupe politique.*

Le FLQ, c'était un groupuscule. La bande à Baader, aussi. Pour parler de syndicats nationaux ou d'associations étudiantes qui regroupent des centaines de milliers de membres, c'est un mot un peu mal choisi. Ici comme partout, les termes utilisés ne sont pas innocents, surtout quand on ajoute deux phrases plus loin: «Le mouvement *Écœuré de payer* s'adresse à vous! Vous qui travaillez, avez des familles, une vie et surtout pas le temps de manifester.» Écrire une phrase du genre au lendemain du Printemps québécois, c'est bien sûr sous-entendre que les centaines de milliers de gens qui ont manifesté dans les rues l'an dernier demeurent une minorité constituée d'individus pas tellement occupés. Des vrais travailleurs, ça n'a pas le temps d'aller marcher au soleil un jour de semaine ou de taper sur des casseroles jusqu'à 11h du soir.

Ça, mon gars, j'espère que tu sais que c'est de la *bullshit*.

Premièrement, les auditeurs de Radio X, ils n'ont traité personne de flancs-mous quand ç'a été le temps de sortir pour défendre la liberté de Jeff Fillion. Ils étaient bien contents que le monde aient du temps à perdre pour manifester, en 2004.

Deuxièmement, insinuer que des mouvements de cette ampleur-là sont le fait de groupuscules, c'est comme dire que c'était juste une affaire de Montréalais, ou de bébés gâtés, ou de gauchistes pis d'écologistes. Le 22 mars et le 22 avril 2012, il y a eu plusieurs centaines de milliers de personnes dans les rues de Montréal. Quand autant de gens manifestent dans une province de huit millions d'habitants, c'est qu'il se passe quelque chose d'important. Il y avait ça, entre 200 000 et 300 000 personnes, à Washington, en 1963, pour la Marche pour le travail et la liberté où Martin Luther King Jr. a prononcé son «*I Have a Dream*». Personne n'a dit que c'était juste une gang de nègres. Ou plutôt: oui, il y a des gens qui ont dit ça, mais ce n'était pas vraiment, comment je dirais... des gens de qualité.

Même si on n'a jamais réussi à s'entendre là-dessus, tu sais que participer au Printemps étudiant, pour moi, ce n'était pas juste un gros party (je suis trop vieux pour ça), ni une façon de me penser bon ou de me prendre pour Che Guevara ou Gandhi. La tendance des gens de «gogauche» à se prendre pour de vraiment très bonnes personnes m'énerve autant que toi. La hausse des droits de scolarité était une cause qui me tenait personnellement à cœur. Parce que j'ai un travail que j'aime, aujourd'hui, et que je l'ai parce que j'ai étudié.

Ce n'était déjà pas gratis d'étudier, dans ce temps-là: c'était même un choix très couteux, à moyen terme. À 24 ans, tu as commencé à cotiser à des REER; moi, j'ai déclaré des revenus de 8 000 $. À 27 ans, tu as acheté ta première maison; moi, je devais à peu près 50 000 $ pis j'étais même pas propriétaire de ma machine à café. Je n'ai jamais fait plus de 20 000 $ avant d'avoir 30 ans. Même après ça, quand j'ai eu un poste et que j'ai commencé à gagner 60 000 $ par année, j'avais tellement de dettes à rembourser que je suis resté autant dans la dèche que dans la vingtaine. C'est ma mère, en achetant un duplex avec moi, qui m'a permis d'accéder à la propriété. C'est mon premier livre et l'*overtime* médiatique à côté qui m'ont permis de sortir la tête de l'eau pour la première fois de ma vie d'adulte, à quasiment 35 ans. Ce que je veux dire, c'est que si j'ai pu faire à peu près ce que je voulais dans la vie, c'est parce que j'avais une hostie de tête de cochon, pis parce que ce n'était pas encore trop cher. J'ai failli abandonner 18 fois, mais j'ai été aidé par mes parents et par le gouvernement, et j'ai fini par avoir des bourses.

Si j'ai marché dans les rues au printemps 2012, c'est parce que je pense que tous les enfants de la classe moyenne comme toi et moi devraient avoir une vraie chance de faire ce qu'ils veulent dans la vie. Moi, je suis chanceux. Peu importe le semi-dégel ou l'indexation ou l'incitation à la performance ou le je-sais-pas-quel mot niaiseux qu'ils vont inventer pour finalement trouver le moyen de passer une hausse aux étudiants, mes enfants devraient pouvoir faire les études de leur choix.

Mais les tiens ?

On nous parle constamment comme si chaque groupe représenté dans la société, en tirant la couverte de son bord, nous mettait collectivement les fesses à l'air. Ce n'est pas complètement faux, surtout si on parle de certains syndicats de fiers-à-bras, de maires ripoux et de gestionnaires crétins. Mais il faut dire aussi que, parmi les *groupuscules* en question, il y a du monde qui se battent pour des affaires qui te regardent, qui te concernent et dont tu profiteras peut-être.

J'ai passé exactement 12 secondes sur le forum internet de la campagne de KYK/Radio X, et je suis tombé sur un gars qui se disait écœuré de payer pour « les garderies [et] les congés parentaux ».

Ça, ça m'a fait tiquer pas mal.

OK, mettons. *Fuck* les garderies à sept piastres pis les congés parentaux.

Faisons une expérience.

Admettons qu'au paradis des libertés individuelles que sont les États-Unis, on ne paye pas une cenne d'impôt (ce qui est faux).

Mettre un enfant en *daycare*, aux Zétats, ça coute en moyenne 11 666$[1] par année (972$ par mois). Ça peut grimper jusqu'à 2 000$ par mois (j'ai un ami à Boston, technicien de laboratoire. Sa femme a un meilleur salaire que lui : il reste à la maison pour garder ses deux filles parce qu'avec les frais de garde et de déplacement, ça ne vaut pas la peine de travailler).

Imaginons, donc, que ça te coute 11 666$US pour faire garder chacun de tes deux enfants en âge d'être à la garderie. Total : 23 332$ par année. Prends ta calculatrice et dis-moi s'il resterait plus d'argent dans tes poches à la fin de l'année en ne payant pas de taxes ni d'impôt ou en payant de l'impôt pis en envoyant tes enfants dans une garderie à 7 $. Pour mesurer la *vraie* différence entre ta vie ici et ta vie là-bas, il faudrait déjà tenir compte du fait qu'il y a bel et bien des impôts, aux États-Unis, et surtout calculer que le revenu annuel moyen d'un pompier comme toi, là-bas, est de 42 259 $ (et encore moins en région éloignée, où ça tourne plus autour de 37 000 $).

Je sais que dans le monde rêvé par les gens qui pensent que l'impôt, c'est de la marde, on fait tous vraiment beaucoup d'argent parce qu'on est débarrassés des gauchistes et des environnementalistes qui nous empêchent d'avoir une grosse job dans le Nord. Mais à un moment donné, il va falloir se demander pour vrai combien on est prêts à parier sur ces fantaisies-là.

Les économistes s'entendent pour dire que le Québec est le paradis des familles[2]. Dans la gang des gens qui ont des familles et n'ont pas le temps de manifester se trouvent les contribuables les plus fiscalement avantagés du Québec.

D'ailleurs, d'après une étude de 2005[3], l'auditoire de Radio X est composé de 80 % à 93 % d'individus âgés de 18 à 44 ans, dont à peu près 70 % d'hommes et 66 % de gens gagnant moins de 40 000 $ par année (et 91 % de gens gagnant moins de 59 000 $). Ces chiffres ont surement un peu évolué depuis, mais ça m'étonnerait beaucoup que Radio X se soit transformé en Radio-Rock-Matante.

Ces chiffres nous disent que Radio X est un poste écouté principalement par des gens de la classe moyenne inférieure. Si c'est de l'impôt que ces gars-là sont *écœurés de payer*, on pourrait leur rappeler que « les 2,9 % de nantis [100 000 $ par année et plus] ont payé en impôts fédéral et provincial sensiblement la même somme que les 80 % de contribuables gagnant moins de 50 000 $ par année[4] ». Tu peux dire à tes chums que leur sollicitude me touche beaucoup, mais que ça me fait plaisir de leur donner un coup de main.

Bon, je recommence à être baveux. Je reprends.

Peut-être qu'au fond, ce n'est pas de payer de l'impôt qui vous écœure, mais d'en payer dans le beurre, à côté de taxes de plus en plus nombreuses qui, elles, ne sont pas ajustées au revenu: taxes municipales, taxes scolaires (y compris pour un camp à 500 milles dans le bois), taxe d'eau, TPS, TVQ et, bien sûr, la merveilleuse taxe santé, qui est peut-être le plus gros crachat au visage des contribuables québécois, surtout quand on nous fait accroire qu'elle va sauter avant de nous la changer pour une autre un peu moins pire. Moi aussi, je suis écœuré de payer pour le réseau de santé qu'on a. Je suis écœuré des bonriens aussi. Je suis écœuré de payer pour la corruption sur les grands et petits chantiers de cette province pleine de voleurs.

La gestion d'un million d'affaires au Québec est un scandale, mais je vais te dire ce que je pense vraiment: on est moins écœurés de payer qu'écœurés d'avoir de la misère à payer. Peu importe les mesures fiscales mises en place au Québec pour aider la classe moyenne, le résultat est le même. Le cout de la vie augmente sans cesse, et le pouvoir d'achat de la classe moyenne diminue constamment. Même s'ils reviennent en partie sous diverses formes, les impôts et les taxes font mal, l'hypothèque coute cher, le char coute cher et la bouffe coute cher. Sans parler de toutes les gogosses: on vit dans un monde où il n'y a jamais eu autant de gogosses à vendre, et où la piastre ne t'a jamais permis d'en acheter si peu.

En 1950, en Amérique du Nord, le salaire moyen était de 3 210$, alors qu'une maison neuve coutait en moyenne 8 450$ et un char neuf, 1 510$[5]. Ça coutait donc à nos grands-pères à peu près deux fois et demie leur salaire annuel pour acheter une maison, et la moitié de leur salaire annuel pour acheter un char.

Pour nos pères, dans les années 1980, c'était trois fois et demie le salaire pour une maison et un peu plus du tiers du salaire pour une voiture (c'était une bonne décennie pour acheter un char, mes parents en avaient trois). Aujourd'hui, ton char coute plus des deux tiers du salaire annuel moyen, et une maison, pratiquement six fois ce salaire-là.

La classe moyenne contemporaine étouffe, même si les ménages comptent de plus en plus sur deux revenus. Si elle arrive à maintenir son niveau de vie, c'est grâce au crédit. Il est difficile, de ce point de vue-là, de dire qui est le vrai ennemi des gars de la classe moyenne comme toi : les gouvernements ? L'inflation ? La stagnation des revenus ? Le gars avec un beau logo qui a fait enregistrer des pubs à Michael Jordan pour pouvoir te vendre 200 $ une paire de *running* fabriquée pour 13 cents par un enfant en Malaisie ? Une chose est sure : le gars qui s'est rendu compte qu'il ferait plus d'argent avec toi en fabriquant des lave-vaisselles qui pètent après cinq ans, c'est pas ton grand chum. Les gars qui ont dérégulé les marchés mondiaux, non plus.

Cela dit, quand je réfléchis aux déboires de la classe moyenne d'aujourd'hui, je ne peux pas m'empêcher de penser à Bernard, un vieux chum de mon père qui vient souvent nous voir dans le bois l'été, en quatre roues, le plus souvent à l'aurore. Son dicton préféré, qu'il prononce en débouchant une bière avant sept heures le matin : « La vie, c'est un combat. Pis ton pire ennemi, c'est toué. »

En ce qui concerne la classe moyenne, il a probablement raison. Notre manie de vouloir consommer autant fait même partie du problème. Une chose est certaine, ce n'est pas la faute des pauvres ni des BS, ni des « artisses » subventionnés, ni des fonctionnaires en *burnout*, ni des petits vieux qui sont toujours à l'hôpital.

C'est probablement ça qui me gosse le plus, avec la colère des campagnes comme *Écœuré de payer*. Je comprends ça, la colère, je suis en crisse autant qu'un autre. J'entends dire à la radio : « Ç'a pus de bon sens le gaspillage pis la mauvaise gestion pis l'argent tiré par les fenêtres. » Moi, je me pompe et je dis : « Pourquoi pas, dans le fond ? Y a 500 000 crosseurs dans ce pays-là qui nous fourrent derrière comme devant. Va bien falloir faire le ménage à un moment donné. » La radio répond : « Super, on commence par le pauvre monde. »

Tu trouves que j'exagère ?

Je passe même pas cinq minutes sur le forum d'*Écœuré de payer* et je tombe sur une espèce de fendu de la tête qui se dit écœuré de payer, en vrac, pour : « les dons aux organismes communautaires » (genre les centres pour femmes battues ? Moi aussi, ça m'écœure ben gros de payer pour ça. Ça pis les petits enfants qui ont le cancer. Je veux dire : qui s'en paient donc tout seuls, des crisses de clowns) ; « les subventions aux artistes » (ben oui, on donne de l'argent à du monde qui font de la danse contemporaine tout nus. Pas à coups de millions par tête de pipe, je peux te le jurer. Si c'est le *cash* qui les intéressait avant tout, ce monde-là seraient aussi bien de tourner tout nus autour d'un poteau. Mais comme le remarque une fille sur le même forum, on donne aussi de l'argent à des revues à but érotico-lucratif comme *Summum*, pis ça n'a pas l'air de trop déranger mon Écœuré) ; « les cours de conduite inutiles » (je suis pas sûr qu'ils soient si inutiles que ça quand j'écoute, mettons, *Dérapages*, de Paul Arcand. Surtout si on veut désengorger les urgences trop pleines que ça nous écœure de payer aussi) ; « l'environnement et le réchauffement de la planète » (celle-là, faudrait vraiment me l'expliquer. Ça lui coute quoi, le réchauffement de la planète ? Plus cher en air climatisé ? Pis l'environnement ? Il faut qu'on arrête de lui charger les petites épinettes qu'on replante par-dessus des coupes à blanc, genre ? On arrête-tu de ramasser les vidanges aussi ? C'est sûr qu'il y a pas mal d'économies à faire là); et, la cerise sur le sundae: «les élections, les référendums, les bibliothèques».

Hum. Essayons de penser à quelques grands personnages historiques qui étaient contre la démocratie, les plébiscites et les livres... Je reste sur le même forum et je trouve justement, à la suite de l'autre, une belle petite graine de nazi qui écrit: «Moi, je suis en parfaite santé et je suis écœuré de payer pour les vieux et les malades. Le vieux qui lui reste dix ans à vivre, ça va lui donner quoi d'avoir une hanche neuve à 100 000 $?» Ciboire, qui élève ces enfants-là? Jeff Fillion s'est-tu ouvert une garderie en milieu familial?

C'est ça que je comprends pas.

Quand on avait 17-18 ans, qu'on sortait dans les clubs à Jonquière ou à Alma pis que des fois ça brassait, moi j'avais toujours peur de la bataille, parce que je suis un nain pis que j'ai des lunettes. Toi, t'étais une «bonne jeunesse», comme dit mon père. Tu te pognais toujours un gars de ta grosseur, pis même un peu plus, pour pas laisser le plus gros à un autre. Asteure, t'es chum avec des gars qui crient des noms aux robineux, qui envoient chier les profs de cégep qui écrivent des haïkus, pis qui font des jambettes aux malades à la sortie de l'hôpital.

Je m'ennuie beaucoup de toi, mon gars. Mais ces temps-ci, je trouve que tu te tiens avec du drôle de monde.

S.

---

1 Selon le très politiquement neutre *Baby Center*.

2 Luc Godbout et Suzie St-Cerny, *Le Québec, un paradis pour les familles? Regards sur la famille et la fiscalité*, PUL, 2008.

3 Jean-Michel Marcoux et Jean-François Tremblay, «Le néopopulisme de CHOI-FM: de l'expansion de la logique consumériste. Profil socioéconomique et sociopolitique des auditeurs mobilisés», recherche effectuée pour le Centre d'études sur les médias, Département de sociologie, Université Laval, octobre 2005.

4 Michel Girard, «Impôts: qui paie la facture au Québec?», *La Presse*, 10 mai 2008.

5 *The People History:* www.thepeoplehistory.com/70yearsofpricechange.html.

Confession VI

À LA CLASSE MOYENNE, on parle beaucoup de gros bon sens, de «vivre selon ses moyens», de «juste part» et de «on-peut-pas-tout-avoir». Mais ce qu'on a tendance à oublier et que je constate tous les jours, c'est que la fatigue culturelle de la classe moyenne est peut-être encore plus grande que sa fatigue financière. Pendant qu'on lui invente de nouvelles façons d'étaler ses paiements pour qu'elle n'ait à se priver de rien, la classe moyenne s'ennuie du temps où elle appréciait ce qu'elle avait.

Une chose qui me frappe, c'est que la classe moyenne passe aujourd'hui une bonne partie de son temps de loisir devant son écran LCD, à regarder le monde se faire attaquer par des extraterrestres ou heurter par des météorites, ravager par des épidémies mortelles ou piétiner par des monstres géants, être anéanti par des bombes nucléaires ou déconcrissé par des übertsunamis.

Nous vivons dans une époque obsédée par sa propre fin. Ce n'est pas la première à éprouver une fascination pour l'Apocalypse, loin s'en faut, mais elle est la seule à avoir fait de la fin du monde un divertissement grand public. On aurait pu croire que cette apocalypticomanie était liée à nos angoisses fin de siècle et au bogue annoncé de l'an 2000, mais non: il ne s'est jamais produit et écrit autant d'histoires de destruction planétaire que depuis le début du 21e siècle. En Occident, le troisième millénaire a une maudite misère à s'imaginer comme le début de quelque chose.

La classe moyenne se raconte donc des histoires de résilience et de survie où les talents de chacun sont mis à contribution, où il faut réapprendre toutes sortes de savoirs anciens parce que tous les magasins sont fermés, où la vie est plus dure, peut-être, mais l'urgence de vivre plus criante. Pendant que les discours médiatiques destinés à la séduire deviennent de plus en plus démagogiques ou hargneux, pendant qu'elle se convainc elle-même que la perte de son pouvoir d'achat est la chose la plus terrible qui soit, la classe moyenne s’assoit devant son cinéma maison et se repose d’elle-même, en regardant des histoires de fin du monde qui sont aussi des fantasmes de simplicité volontaire.

L'Apocalypse en 36 versements

«Je voudrais plus de vent, et de la pluie. Et en décembre de la neige pour bloquer les portes d'entrée. Je suis d'accord avec ceux qui disent qu'il n'y a plus d'hiver ni de vraies tempêtes. Même quand l'orage éclate, le premier de l'été, et que je reste dessous, il ne cause ni peur ni douleur. Je voudrais voir la foudre tomber sur des maisons, les cours d'eau monter et les gens fuir leurs sous-sols pleins de boue. Mais ça n'arrivera pas, je vois le futur et pas de cataclysmes, le futur est arrivé et il durera toute la vie.»

Alexie Morin

JE NE SAIS PAS si la classe moyenne va vraiment disparaitre. Je ne suis pas économiste, ni sociologue, ni prophète. Je suis cependant plutôt bon pour comprendre ce que disent de nous les histoires qu'on se raconte.

Dans celles-ci, le monde en péril est souvent sauvé par Iron Man ou Bruce Willis. Mais souvent, aussi, le monde est dévasté pour de bon et une poignée de survivants doivent apprendre à vivre dans ses ruines. Ce sont mes histoires préférées, celles qui se passent après l'Apocalypse.

Je ne suis pas le seul, apparemment. Le 14 octobre 2012, le record d'audience pour une émission de chaine câblée aux États-Unis a été battu par le premier épisode de la troisième saison de *The Walking Dead*. Cete série montre les tribulations d'une petite communauté de survivants dans un monde ravagé par une épidémie de zombies.

Il n'y a encore pas si longtemps, les films de zombies étaient réservés à un public pas mal spécialisé, pas mal *geek*, composé de drôles de bibittes comme moi, amateurs d'un étrange mélange de *gore* dégoulinant et de critique sociale pas très subtile. L'une des critiques les plus grand-guignolesques et jouissives de la société de consommation a été réalisée par George A. Romero en 1978. Dans *Dawn of the Dead*, trois hommes et une femme se réfugient dans un centre d'achats, qu'ils sécurisent pour se protéger des zombies qui y reviennent constamment faire du lèche-vitrine, sans qu'on sache trop pourquoi. Lors d'une scène où les personnages regardent d'un balcon les morts-vivants qui déambulent dans le mail, ils s'interrogent ainsi :

— *What are they doing? Why do they come here?*

— Some kind of instinct. Memory of what they used to do. This was an important place in their lives.

Si vous n'avez pas compris le message, rembobinez la VHS ou la Betamax au début.

Aujourd'hui, des millions de gens qui n'ont probablement jamais vu *Dawn of the Dead* suivent *The Walking Dead* ou sont allés dans des multiplex pour voir le beau Brad Pitt jouer dans *World War Z*. Des franges marginales de la culture pop a émergé l'un des genres *mainstream* les plus improbables de l'histoire récente. Tout le monde et sa mère peuvent regarder des films de morts qui marchent, et la plus grande vedette d'Hollywood se garroche pour jouer dedans. Une chose qui parlait à peu de gens parle désormais à la majorité.

Peut-être que ces étranges divertissements apocalyptiques sont une façon pour la classe moyenne d'apprivoiser, sur le mode du feu d'artifice, son extinction annoncée. Il y aurait donc quelque chose de revanchard, là-dedans. La classe moyenne se plairait à voir réduites en miettes des institutions et des structures sociales qui la tuent à petit feu. Il y a clairement une rêverie communautariste qui travaille dans ces histoires d'après la fin, mais aussi quelque chose de libertarien. Les grands cataclysmes et les déferlantes de zombies permettent d'imaginer un monde débarrassé, comme par magie, des problèmes de l'ancien. Après la *tabula rasa*, tout peut recommencer: la catastrophe est génératrice de changement. Après l'ouragan géant ou la chute de l'astéroïde, les filles pardonnent au père et les pères pardonnent aux fils, les enfants arrêtent de faire pipi au lit, les infrastructures décaties et les lourdeurs bureaucratiques disparaissent et les communautés se reforment autour de leadeurs naturels. La classe moyenne ne fait pas seulement imaginer sa mort à travers ces fictions-là, elle rêve de nouveaux départs.

Mais il faut bien le dire, il y a aussi là-dedans une forme de nostalgie.

L'un de mes écrivains préférés, Cormac McCarthy, s'est mis lui-même à la fiction postapocalyptique, en 2006, avec *La route*, produisant au tournant un bien étrange bestseller. Sa vision d'un monde d'après la catastrophe est pourtant extrêmement sombre et dépourvue de toute possibilité de refondation. Dans le roman, à la suite d'un cataclysme de nature inconnue, un père et son jeune fils arpentent les routes d'une Amérique en cendres et survivent en fouillant les maisons abandonnées et les abris souterrains à la recherche de nourriture. Il n'y a plus d'animaux et les arbres sont pétrifiés. Le monde n'est pas en train de se réparer, il agonise. Le père et le fils doivent se cacher pour échapper à des meutes de cannibales qui se déplacent sur les routes en trainant avec eux, dans des cages ou au bout de chaines, leur cheptel de bêtes humaines.

Je ne pense pas qu'on puisse produire une vision plus déprimante d'un monde d'après la catastrophe, mais le roman est magnifique. À un moment, le père trouve dans une machine distributrice défoncée une canette de Coca-Cola intacte et insiste pour que son fils la boive en entier. Au milieu de cette désolation totale, un vulgaire Coke devient un véritable trésor, un objet magique capable d'évoquer, pour un instant fugace, tout un monde disparu.

> Le petit prit la canette et but. Ça fait des bulles, dit-il.
> — Vas-y.
> Il leva les yeux sur son père puis il inclina la canette et but. Il réfléchit un moment. C'est très bon, dit-il.
> — Oui, c'est bon.
> — Prends-en un peu, Papa.
> — Je veux que tu boives tout.

— Prends-en un peu.
Il prit la canette et but une gorgée et rendit la canette au petit.
— Bois tout, dit-il. Restons ici un moment.
— C'est parce que j'en aurai jamais d'autres à boire, hein?

En le lisant, je me suis dit que ce passage-là parlait moins d'une nostalgie imaginaire que d'une nostalgie bien de notre temps. Quand j'étais petit, on ne buvait pas de liqueur à la maison. Mes parents n'étaient pas particulièrement macrobiotiques, mais mon frère et moi, on était assez malcommodes à l'eau claire pour pas qu'on veuille nous bourrer de sucre en plus. La seule place où on buvait de la liqueur, c'était chez ma grand-mère Mado, la fin de semaine. Elle se la faisait livrer à domicile. Le camion d'Elzéar Plourde passait encore par les maisons comme le boulanger et le laitier, à l'époque, et il laissait à ma grand-mère des douzaines de belles bouteilles en vitre dans des cageots en plastique. On hésitait longtemps entre un Cream Soda, un Saguenay Dry ou une Fanta aux fraises, parce qu'on savait qu'on n'en aurait pas 12 dans la fin de semaine. Le meilleur truc qu'on avait trouvé, c'était de siffler notre liqueur d'une traite, quand on était assoiffés, après une partie de baseball au grand soleil. C'est le seul souvenir que j'ai d'une liqueur aussi délicieuse que le Coca-Cola du roman de McCarthy. (En plus, j'ai déjà fait le test: pour les enfants d'aujourd'hui, que leur mère refuse catégoriquement de droguer au sucre et qui ne sont pas habitués à ces potions-là, le Coca-Cola, c'est pas mal dégueulasse.)

La classe moyenne s'ennuie du temps où boire un Coke ou un Pepsi était quelque chose de merveilleux. C'est un moment qui n'a probablement jamais existé, mais ce n'est pas ça, l'important: l'important, c'est qu'aujourd'hui la classe moyenne va au cinéma, et on lui donne avec son *popcorn* plus de Pepsi que ce qu'un être humain normalement constitué devrait boire en un mois. Le Pepsi lui sort par les oreilles.

La guerre est déclarée

Le problème avec la fin du monde, c'est qu'elle n'arrive jamais. Ça laisse aux espèces en voie de disparition comme les dinosaures, le cube Rubik ou la classe moyenne le temps d'agoniser longtemps en silence.

Pour plusieurs, de toute façon, la classe moyenne est déjà morte. Comme l'a écrit Michael Moore :

> Des gens de moins de 30 ans me demandent parfois quand ça a commencé, la chute de l'Amérique. On leur a parlé d'un temps où un seul salaire suffisait à faire vivre une famille et à envoyer les enfants à l'université (elles étaient pratiquement gratuites dans des États comme New York et la Californie). D'un temps où n'importe qui pouvait décrocher un emploi avec un salaire décent. Où les gens travaillaient juste cinq jours par semaine, huit heures par jour, avaient leur fin de semaine à eux et des vacances l'été. Où beaucoup d'employés étaient syndiqués, de l'emballeur à l'épicerie au peintre en bâtiment, et où même ceux qui avaient des métiers bien modestes pouvaient compter sur une pension, des augmentations de temps en temps, une assurance maladie et du soutien s'ils étaient traités injustement.
>
> Les jeunes ont entendu parler de cette époque mythique—mais ce n'était pas un mythe, c'était la réalité. Et quand ils me demandent quand cette réalité a pris fin, je leur réponds «le 5 aout 1981[1]». À partir de ce jour, il y a 30 ans, les grandes entreprises et la droite ont décidé de tenter un grand coup, question de voir si elles étaient capables de détruire la classe moyenne pour devenir encore plus riches elles-mêmes.
>
> Et elles ont réussi[2].

En tant qu'imaginaire social fondé sur une certaine sérénité et sur une assurance, la classe moyenne n'existe plus. Personne ne se sent effectivement à l'abri en son giron. Mais ce qu'oublient souvent de mentionner les commentateurs populistes, de gauche comme Michael Moore ou de droite comme Lou Dobbs[3], c'est le rôle qu'a joué la classe moyenne elle-même dans le drame de sa disparition annoncée.

Le piège à cons dans lequel la classe moyenne est en train de basculer est encore plus redoutable que celui des années 1980. Ses mâchoires sont l'endettement endémique et la confiance absolue en la validité de son mode de vie. La classe moyenne tient à maintenir un certain style de vie à tout prix, quitte à changer ses filets de sécurité sociale contre de l'argent comptant. Les discours populistes qui la flattent dans le sens du poil, qu'ils apparaissent dans la bouche de chroniqueurs à la sauce libertarienne ou de beaux brummels comme Justin Trudeau[4], prennent rarement la peine de dire à la classe moyenne qu'en marge des méchants qui lui tapent dessus, elle est souvent l'architecte de ses propres malheurs.

Mon chum Marc—qui s'est beaucoup endetté, comme moi, pour payer ses études—a une expression assez fleurie pour décrire sa situation de jeune professionnel et de jeune propriétaire: «Je me dois le cul, hostie.»

Ça résume assez bien la situation. Le mode de vie de la classe moyenne tue la classe moyenne. Pas étonnant que la classe moyenne aime autant les zombies: en vivant dans le rouge, elle est une morte qui marche. Celui qui se doit le cul sera toujours moins libre de ses décisions, de ses options politiques et de ses colères. Celui qui se doit le cul pense que de fermer sa gueule est la meilleure façon de garder ce que d'autres ont obtenu en criant. Celui qui se doit le cul, surtout, pense qu'il n'a pas de plus grand ami sur la Terre que le gars qui lui fait sauver cinq piastres. Peu importe, finalement, si la classe moyenne est en train de perdre une guerre qu'elle ne veut pas livrer de toute façon. Peu importe comment la classe moyenne vote si elle est rigoureusement incapable de remettre en question ses façons de consommer. À partir du moment où, pour contrecarrer l'érosion de son pouvoir d'achat, elle est prête à acheter à ses enfants des bébelles fabriquées ailleurs par d'autres enfants, la classe moyenne s'en va chez le diable de toute façon.

En avoir ou pas

«Quand est-ce qu'assez, c'est assez?», demandait Michael Moore dans son billet cité plus haut. «Le rêve de la classe moyenne ne reviendra pas comme par magie. Le plan de Wall Street est clair: faire des États-Unis une nation de riches et de pauvres. Êtes-vous d'accord avec cet objectif?»

Comme lui, je pense que ça n'a jamais été dans les plans des gens qui ont l'argent qu'il y ait une solution intermédiaire entre être riche et être pauvre. Je pense aussi qu'il y a là un fantasme, qui n'est pas propre à Moore, mais commun à beaucoup de tentatives issues de la gauche afin de mobiliser la classe moyenne: on voudrait qu'elle retrouve son vieux fond syndical, celui de la classe ouvrière. On lui parle comme si elle était composée majoritairement de travailleurs manuels, de cols bleus et de syndiqués. Oui, la solidarité syndicale est une valeur importante pour les membres de la classe moyenne qui sont syndiqués et contents de l'être, et pour quelques autres qui voudraient l'être. Mais c'est tout. Ce qui semble plus vrai de la classe moyenne sur le plan politique, c'est qu'elle repose sur une étrange solidarité de classe entre individus qui n'ont pas, majoritairement, la solidarité pour valeur. On parle presque toujours de la classe moyenne pour évoquer des drames individuels, vécus de plus en plus souvent par des gens qui ne se sentent pas d'autres affiliations, communautaires ou professionnelles. On définit ainsi la classe moyenne par la négative: elle serait composée d'individus qui ne sont pas riches mais pas pauvres, qui ne sont pas de gros syndiqués ou de hauts fonctionnaires, qui ne sont pas des artistes ou des écologistes ou des lobbyistes, qui n'ont pas le temps de manifester et dont les intérêts ne sont pas représentés[5].

Poser en défenseur de la classe moyenne, pour un politicien de droite comme de gauche, c'est toujours prendre le parti du monde ordinaire contre les autres politiciens, les impôts trop élevés, les groupes de pression, les corrompus, les grandes entreprises. Or, le monde ordinaire à qui s'adresse cette rhétorique n'est pas d'abord citoyen, syndiqué ou partie d'un quelconque ensemble: il est parent, propriétaire, consommateur et contribuable. Ce qui lie depuis toujours la classe moyenne dans son imaginaire, ce sont des aspirations individuelles. Le rêve sur lequel elle s'est construite, c'est celui que chacun et chacune ait une bonne job, une belle maison pis des vacances payées. Y a rien là-dedans qui dit «Je renonce à mes vacances si mon ami peut pas avoir les siennes.» L'étau qui écrase la classe moyenne est donc aussi politique et stratégique. Elle sait qu'il lui faudrait aller en guerre, mais elle n'a plus d'armée.

Dans *Arvida*, j'ai écrit une histoire à propos d'un homme dont la job est de voyager de ville en ville pour annoncer à d'autres qu'ils ont perdu la leur. À un moment, il s'engueule avec un homme qu'il vient de clairer et il finit par dire ceci: «Je ne fais rien de différent des autres. La ville brule et je prie pour que le feu épargne ma maison.» Comme bien des affaires que j'écris, je n'ai pas trop su ce que ça voulait dire, sur le coup, mais aujourd'hui, je comprends très bien.

En gros, c'est là que la classe moyenne est rendue, et je ne voudrais pas avoir l'air de me mettre au-dessus de ça. Je l'ai dit, je partage la valeur cardinale à partir de laquelle on fait pression sur elle aujourd'hui : la famille. Les gens de la classe moyenne ont toujours tenu à leur progéniture, ils tiennent aussi, depuis plus récemment, à être de bons parents. Ils veulent ce qu'il y a de mieux pour leurs enfants, mais aussi passer du temps avec eux. Les protéger, aussi. Je pense que c'est un autre grand paradoxe de la classe moyenne actuelle : elle regarde ailleurs pendant que le monde devient un endroit du plus en plus dur, impitoyable et compétitif, mais elle essaye de protéger ses enfants de l'échec, de l'intimidation, de l'obsession de la performance, etc. Moi, je suis comme elle. Peut-être justement parce que je sens le ciel se couvrir, parce que je suis un enfant du divorce et parce que j'ai connu jeune l'insécurité financière, j'ai une maudite misère à ne pas être un papa gâteau et un papa qui travaille trop.

Je voudrais montrer à mes enfants que ce n'est pas important d'avoir tout ce qu'il y a dans le magasin, d'avoir les mêmes bébelles que les autres filles de la classe, d'avoir des meilleures notes ou d'être mieux habillées. Mais trop souvent, par l'exemple, je leur montre le contraire. L'autre jour, un dimanche, la plus vieille m'a demandé si je venais au parc et j'ai répondu qu'il fallait que je travaille. Elle m'a demandé pourquoi je travaillais pendant que tout le monde était en congé et j'ai répondu :

« Pour faire des sous.

— Les autres parents aussi font des sous.

— Pour faire beaucoup de sous, il faut travailler beaucoup.

— Pourquoi nous autres on a besoin de plus de sous ?

— Pour payer notre belle maison et vous acheter ce que vous voulez, à ta sœur pis à toi. »

J'aimerais vraiment ne pas avoir dit ça, mais je l'ai dit.

Jeune adulte, j'enviais la sérénité des gens de mon âge qui ne se sentaient pas obligés de réussir leur vie le plus vite possible et prenaient le temps de la vivre au risque de la rater. Je ne les envie plus, aujourd'hui. Maintenant que le temps est à l'orage pour les enfants de la classe moyenne, je suis content d'être à couvert.

Pourtant, j'envie aujourd'hui d'autres gens qui n'éprouvent pas ce besoin-là.

J'ai des amis qui sont parents et qui ne se sentent pas obligés pour autant d'avoir chacun une grosse job *steady* ou de prendre le plus de contrats possible pour en piler pendant que c'est le temps. Certains sont travailleurs autonomes, d'autres travaillent à salaire pendant que leur conjoint s'occupe des enfants. Je connais des mères et des pères au foyer nouveau genre et des couples qui travaillent à temps partiel. Certains sont pas mal écolos sur les bords, c'est sûr, d'autres un peu hippies, altermondialistes ou végétaliens. D'autres non. Plusieurs ont juste un sens commun un peu différent du gros bon sens qui s'énonce aujourd'hui sur toutes les tribunes. Leurs enfants sont bien—je ne veux pas dire parfaits, je veux dire aussi bien que les autres. Pas moins heureux, pas moins équilibrés, pas moins beaux. Des petits hipsters de friperie qui passent beaucoup de temps avec leur père et leur mère. Ils ont tout ce dont ils ont besoin, même s'ils se passent de certaines choses. Et la plupart des affaires dont ils se privent n'ont pas l'air de leur manquer tant que ça.

Ces gens-là font des choix de vie dont le motif premier n'est pas l'argent, et ils s'arrangent. Ils ne sont ni riches, ni pauvres, mais ils ne se réclament pas de la classe moyenne. Ils ne se reconnaissent pas en elle et elle ne se reconnaitrait pas en eux. Ils dépensent moins qu'elle, consomment moins qu'elle et polluent moins qu'elle aussi. Certains vivent même en partie de ce qu'elle jette. Ils ont moins à perdre qu'elle, aussi, et moins peur des tempêtes qui s'annoncent.

Ils ne portent pas encore de nom et pourtant ils existent.

Et c'est eux le sel de la terre, désormais.

1 Le 5 aout 1981, le président Ronald Reagan a mis à pied 11 359 contrôleurs aériens en grève qui avaient refusé de rentrer au travail au mépris de son ultimatum.

2 Michael Moore, «*30 Years Ago Today: The Day the Middle Class Died*», 5 aout 2011, www.michaelmoore.com

3 Lou Dobbs est animateur de FOX. Républicain dissident très critique de l'administration W. Bush, il a écrit *War on the Middle Class: How the Government, Big Business, and Special Interest Groups Are Waging War on the American Dream and How to Fight Back*, Viking, 2006.

4 Marquant une tendance très actuelle, Justin Trudeau s'est érigé en défenseur de la classe moyenne dès le lendemain de son assermentation à la tête du Parti libéral du Canada.

5 Le jeune Parti de la classe moyenne du Québec, qui vise à remédier à cette absence de représentation, affirme de façon révélatrice son identité par la négative: «Ni fédéraliste ni souverainiste, ni de gauche ni de droite, mais un véritable parti de centre, c'est ça le PCMQ!»

Confession VII

Je l'ai déjà dit: mes deux grands-pères travaillaient à la même usine Alcan.

La plus grosse grève de l'histoire de la compagnie a eu lieu un peu avant qu'ils arrivent, durant l'été de 1941. On était en pleine canicule. Il faisait 35°C dehors et à peu près 200°C dans les salles de cuve. Les travailleurs tombaient comme des mouches un peu partout dans les bâtisses, au milieu des émanations de fluorine et de dioxyde de carbone. On était en pleine guerre, aussi, et les cotisations pour la défense nationale et le chômage avaient été augmentées. Le 24 juillet, les travailleurs sont partis spontanément en grève, exigeant une augmentation de 10¢ l'heure et une amélioration de leurs conditions de travail. Le syndicat lui-même était contre, sachant que la grève serait considérée comme illégale dans un contexte d'effort de guerre. L'aluminium composait une part essentielle du fuselage des avions de chasse, et les Alliés avaient mauditement besoin du métal qui était en train de refroidir dans les cuves.

Aussi le président d'Alcan, R. E. Powell, a-t-il rapidement appelé son ami personnel Clarence Decatur Howe à Ottawa. Ce dernier était le ministre libéral des Munitions et des Approvisionnements et un antisyndicaliste notoire.

Dans le langage fleuri des gars de *shop* que je connais, c'était surtout un bel enfant de chienne.

Afin d'écraser le plus rapidement possible le mouvement, Howe a usé de toute son influence auprès du premier ministre Mackenzie King et a même menacé de démissionner de son poste. Il tenait mordicus à faire intervenir l'armée, même si les relations de travail sont une compétence provinciale. Il y est parvenu en mettant le conflit de travail sur le dos d'agents infiltrateurs imaginaires et en qualifiant la grève d'acte de haute trahison. Le sixième jour, les hommes et les femmes qui occupaient l'usine ont été chassés par 400 policiers de la Sureté du Québec et à peu près autant de soldats, descendus de Valcartier avec des chars d'assaut et des mitraillettes.

Ce jour-là, l'éditorial du *Globe and Mail* demandait que soient publiés les noms de ces «traitres» (les travailleurs), «afin que le peuple canadien sache à quelle race ils appartiennent».

Le conflit s'est finalement réglé dans les semaines suivantes, plutôt à l'avantage des travailleurs. Mais C. D. Howe ne décolérait pas: ayant fait intervenir l'armée en prétextant une menace occulte, il ne voulait pas perdre la face. Il a fait mettre sur pied une commission d'enquête présidée par les honorables juges Séverin Létourneau et William Langley Bond, un organisateur libéral et un vétéran de la guerre de 1914-18. Le but de la commission était d'identifier les instigateurs du mouvement. Ceux-ci risquaient d'être accusés de sabotage et de haute trahison, des crimes qui menaient tout droit à l'échafaud.

C'est là qu'arrive mon bout préféré de l'histoire.

Conscients du sort qui attendait les meneurs de la grève s'ils étaient reconnus coupables, les travailleurs, contremaitres et cadres de l'Alcan appelés devant la commission sont spontanément devenus amnésiques. Même les policiers se sont mis de la partie. Joseph-Rodolphe Lemieux, le sous-inspecteur de la Gendarmerie royale qui avait interviewé plus de 150 travailleurs, a affirmé à la barre n'avoir recueilli aucun indice de comportement subversif. Aucun! Le sergent Charles-Émile Barrette, de la police d'Arvida, a juré n'avoir reconnu personne parmi les meneurs de la grève et n'avoir été témoin d'aucun sabotage. Sous serment, J.-A. Wilfrid LaBelle, gérant du personnel à l'usine Arvida, a refusé d'identifier ne serait-ce qu'un seul gréviste, en expliquant:

«Pour moi c'était des nouveaux, parce que j'en ai pas reconnu un maudit.»

Appelé à témoigner juste après lui, Albert-Charles Danis, contremaitre à l'Alcan depuis 12 ans, a dit sensiblement la même chose: les leadeurs de l'arrêt de travail étaient des inconnus. Elbert Sangwine, le superviseur des salles de cuves 46 et 48 d'où le mouvement de débrayage est parti, a dit la même chose. Même Cyprien Miron, l'agent de conciliation du ministère du Travail dépêché à Arvida durant le conflit, a affirmé: «Je sais reconnaitre un meneur de grève quand j'en vois un. À Arvida, il n'y en avait pas.»

La commission a déposé un rapport qui ne nommait personne, et C. D. Howe est allé faire pendre des syndiqués ailleurs.

C'est une vieille histoire, je sais bien. Mais je pense qu'elle dit une chose importante sur la classe moyenne, qui était alors en train de naitre et que les prophètes de malheur, moi y compris, n'arrêtent pas d'enterrer vivante aujourd'hui.

En bon intello de gauche, je rêve encore souvent que la classe moyenne se refasse une vraie colère de classe ouvrière. Qu'elle se batte un peu au lieu de se contenter de cette petite mauvaise humeur entretenue par la radio-poubelle et les gérants d'estrade. Mais c'est idiot d'attendre de grands bouleversements de la classe moyenne. Ses intérêts sont par définition majoritaires, mesurés et médians, et elle cherche la stabilité, d'abord et avant tout. Ça ne changera pas. Pour le meilleur et pour le pire, elle ne basculera jamais dans un gros libertarisme à l'américaine, ni dans le militantisme d'extrême gauche. Du point de vue d'une politique plus radicale, la classe moyenne sera toujours une force d'inertie.

Ça ne veut pas nécessairement dire qu'il n'y a rien à espérer d'elle.

À propos de l'auteur

Samuel Archibald est né en 1978 à Arvida. Il est l'auteur du recueil du même nom, pour lequel il a remporté le Prix des libraires 2012 et le Prix Coup de cœur Renaud-Bray 2012. Professeur au Département d'études littéraires de l'UQAM, il s'intéresse notamment au cinéma et à la littérature de genre. Quand il n'est pas lui-même en train de raconter des histoires, il se demande ce que disent de nous les histoires qu'on se raconte.

Remerciements de l'auteur

Un merci colossal à mon bras droit, Simon Lévesque, pour la recherche, les relectures et le soutien.

Un merci immense à Nicolas Langelier et à Jocelyn Maclure pour leur lecture patiente et leurs encouragements.

Un merci amoureux à Geneviève, Alice et Sophie, qui s'occupent du chien et des chats pendant que je fais des heures supplémentaires.

Les titres de la collection **Documents**

***La juste part**: repenser les inégalités, la richesse et la fabrication des grille-pains*
David Robichaud et Patrick Turmel
2012

***Année rouge**: notes en vue d'un récit personnel de la contestation sociale au Québec en 2012*
Nicolas Langelier
2012

***Le sel de la terre**: confessions d'un enfant de la classe moyenne*
Samuel Archibald
2013

Achevé d'imprimer par Marquis Imprimeur
à Louiseville, Québec, en juillet 2013.

Ce livre a été imprimé sur du papier Rolland Enviro100,
contenant 100% de fibres postconsommation, fabriqué au
Québec par Cascades à partir d'énergie biogaz et certifié
FSC Sources mixtes et ÉcoLogo.